談眞著

保健視窗

使你活得更健康

楚戈題耑

文史哲出版社印行

使你活得更健康

目 錄

讀談眞文章的觸發

——《使你活得更健康》序言

我喜歡在夜深人靜時聆聽古典樂曲，看看畫册，或欣賞美文，怡情養性，並抒解繁重的工作壓力。那個晚上，在莫札特的曲調中細讀談眞發表於聯合副刊的「油桐花飛舞」一文，深受感動，一讀再讀之後，我闔上雙眼冥想那如詩畫般的美感，這時CD唱盤正傳送第廿一號鋼琴協奏曲、小提琴前奏，如天使從不知名的國度展翅飛來，探尋「五月雪」的蹤影……，終於在山巒幽谷間找到了祕密花園，天使新奇的踩在音符譜成的音樂階梯，有鋼琴與小提琴幽默的對話與共鳴，一階階隨著大提琴的引渡至雲深不知處……

生活藝術化，可提昇性靈的層面，同樣的工作藝術化，亦可提高工作的情志。我們在單調、忙碌的工作環境中，如果能尋求出一種與所面臨事物相互和諧的頻率，所謂「境由心生」，將之譜成一支積極、進取、奮發向上的曲調，在心中迴盪著，工作情緒自然更加高昂，那麼一切艱難、沮喪、煩憂都會變成磨鍊心志的利器，收到化腐朽爲神奇的功效。

今年春節團拜時，我讓同仁們說出自己的心願，無非是藉這個機會關心我的同仁，更接近同仁們的心靈需求，新光是個大家庭。同仁們的婚喪喜慶，大家總是互相關懷，並且本著這種愛心、拓展到社會各個角落，「愛人者，人恆愛之」，如此對於開發我們的事業，一定有意想不到的績效與成果。

談眞的先生是本公司的高級幹部陳協理，他對公司業務的用心投入，大家有目共睹，我不能免俗的要說，一個成功的男人背後，總有偉大的女性在支撐著，當時陳協理負責業務部門時，必須經常出差，談眞自然要負起教養子女及本身工作的重責，如今兒子赴美深造，女兒即將大學畢業，家庭和樂圓滿。談眞又由其兄長——

軒轅教掌門人，談清雲先生，習得精湛的練氣法與穴道按摩法，自救救人，文中腰背酸痛篇所助之洪老先生，即是本公司同仁的眷屬，如此仁心善術確實值得推崇，願我們一起祝福談眞文藝的路愈走愈廣。

新光人壽保險公司
總經理　鄭弘志

詩歌、練氣和養生一氣呵成

——《使你活得更健康》序言

陳若曦

多虧老友楚戈點醒，原來談眞不僅愛好寫詩，還擅長氣功，是楚戈的練氣師傅呢！怪不得每次見面她都精神昂揚，笑口常開，竟是其來有自。去年開始又幾次聽她談論養生之道，原來詩歌、練氣和養生可以一氣呵成，這在台灣文壇實在不可多得。

談眞個性開朗，空閒時喜歡遊山玩水，和她出遊常有意外的發現。無論是徜徉在林下花蔭或池塘水榭，對一花一木，或游魚或舞蝶，她都看得很入迷。正因爲善於察顏觀色，故能寫出像「油桐花隨風飛舞，旋成一個芭蕾舞者……唇一樣的花瓣，吻在花一樣的唇上」及「坐在桂花織成的蒲團中，體會到大自然生命圓融的美感」等佳句。

和談眞出遊也有額外的享受。除了公園和郊外，她還酷愛爬山。上山少不了練氣功，必定找個林木高聳，空氣清新，但樹下又平坦寬敞，夠兩三個人運動的場地才行。她總是帶頭運氣並指點朋友練習吐納。哥哥是國術界名師，家學淵源，她對氣功確有獨到的學養。以前我只知道吐納是深呼吸，經過指點才曉得還有一種「逆呼吸」，練熟後果然另有功效。

詩人熱愛生活，所見所聞常有感動，親身體驗更加深刻。她熟識人身穴道，泡溫泉可以寫出像「溫泉是你千手的擁抱」這種傳神句子，還在按摩池內指點身旁的人，結果湯友紛紛來向她請教溫泉和健身之道。

這就是談眞，原本體弱多病，自己沈潛鍛鍊到精神飽滿，身手矯健外，還不時和人分享心得。從美容養顏到治病救人，效果卓著，備受稱道。她認爲分享一己之得不過是「野人獻曝」，還是在親友的敦促下才陸續成文，篇篇都是經驗談。俗話「開卷有益」，相信讀者可以從這本書裡學到許多祛病抗老的養生之道，必能活得更健康。

二○○二年四月於台北

人人必備的保健大全

向明

近些年來我的這枝筆越來越活躍，寫了不少詩和詩有關的文章，因此有人說我是「大器晚成」或「向晚愈明」，但我從來沒有想到今天會要改變戲路，臨時客串來一篇響應注意身體保健的文章。我把這個動機告訴老妻，她很詫異誰有那麼大的說服力，把我這個老頑固改變一向所秉持的生死由他的「荒謬」觀念。老妻爲了我的健康，數十年來不遺餘力的多方勸說，各種利誘，無非是要我早點起床去做健身運動，少操勞，多吃健康食品等等與我慣常生活完全逆向的建議，但他那裡能打動我這久已「鞏固力」的決心，而且反而總被我奚落譏諷，說她早起運動和注意這注意那無非是怕死，想長命百歲，我可沒興趣陪她這麼虐待自己。她總是氣得半死的反駁我說，做運動和注意飲食主要是保健，是要活得少病痛，有尊嚴，即使最後免不了要走上不歸路，必要走得瀟瀟洒洒，乾乾脆脆，不要無盡期的纏綿病榻，弄得大家精疲力竭。我那裡聽得進這種「無稽之談」，總是裝出一副「大力水手」的樣子對她說，妳看我既不運動，也不進補，更生冷不忌，還不是活得好好的。她拿我完全沒辦法，只好學「雷根把手一攤」，表示對我莫可奈何。

然而今天我卻寫起這篇響應要大家注意保健的短文來了。這都要怪女詩人談眞這些有說服力的文章。

我們只知道女詩人談眞一面教書，一面默默的寫詩，偶而也參加一些詩的活動。可從來沒有想到教書和寫詩還只是她的副業，其實她是一個夠格的氣功師和穴道推拿保健人員，而且功力不凡，已有二十多年的豐富經驗。最使我吃驚的是，有一天她突然拿了一大堆的稿件要我看，要我這個老大哥看後給她幾句鼓勵的話。那裡知道她給我看的竟然不是詩稿或普通散文，而是她這數十年來自己練功健身所記錄下來的寶貝心得，和提供給大家如何平時注意保健各種經驗。這其中蘊含著她這一生對人生的體認，認爲人活在世上如無健康的身體，一切都如夢幻泡影，活著也是痛苦窩囊的一生。

她這一大疊稿件概分爲兩大部份，生理與心理，生理部份有健康，治病，飲食，美容等類別。心理部份則有如何親近大自然，如何保持心理平衡，如何靜坐養生，如何養成喜樂心境等。每一類別都有一篇文章以輕鬆的筆調，鮮活的例證，以及國內外最新的有關資訊，都被她用寫詩的巧手，編織成一篇篇內涵既豐富，又文字親切感人的篇章。

我爲了求證談眞這些文章的眞實性和可行性，特別拿給老妻共賞。她看了之後大爲贊賞這本書的實用性，認爲無論老少男女都可從這本書中得到各自需要的保健知識，等於一本人人必備的保健大全，看後如能實踐定會使你活得眞如生龍活虎，永保青春。不過最後我卻被她修理了，她說她過去這幾十年來對我要求的，勸我改進的，建議我注意的，不過也都是書中這些，可見她對我的關心都是有憑有據，一片眞心。可我一直把她的話當作耳邊風，從來不信。現在我看過談眞的這些文章居然主動寫文章推薦，她沒別的意見，祇是希望我自己也聽信書中的話，身體力行。看來我明天得早起陪她一起作運動了，這是保健功課的第一步。

好事一樁

以一個過來人的切身體會，女詩人談眞用寫詩那樣眞誠的態度，寫出這本有關人們——特別是婦女同胞們「保健、美容、養生」的書，多少有點出乎我的意外。等到讀完厚厚一疊手稿，你不能不相信「人在病中，會對生命周遭一切有更多體悟」這樣的話題。

談眞身體不好，凡一般婦女易患的病，幾乎都纏上她，她一方面藉著醫學科技檢查出病症，一方面就用這本書中所寫的種種補氣強身的方法，強化了對病菌的抵抗力，增加了要健康快樂活下去的信心，幾年下來，在很多朋友眼裡，她似乎變得年輕了，更開朗得多，當然，在詩藝上也有很多進展。

這本「經驗談」的書，承載的並不是什麼高深的醫學學術知識，或禪學靈修之道，它都是從實際生活中體會出來，一般性的道理，所以談起來十分親切。但是，要一件一件學著去做，你首先得有恆心，如果你今天學學靜坐，隔一段日子再碰它一下，那是沒有用的；練身其實也是練心，要先做到心定，不管練什麼才會見效。談眞在書中告訴我們的「保健」、「美容」或「養生」，不是什麼玄妙莫測的奇招妙式，它唯一的要求是你的恆心。

由於多屬「經驗談」，所以它看起來項目似乎多了一些，其實，不管「保健」、「美容」或「養生」，都關係到健康人生的育成，它們有許多互通之處，彼此之間，有不可分割的關係，而且有相輔相成的互補作用。關於這一點，談眞以一個非專家的過來人身份，能夠化繁爲簡的一件一件慢慢道來，實在很不容易，也實在是好事一樁。所以，我要爲談眞慶賀，也以先讀這本書的手稿爲樂。

自序

「老天這樣安排，一定有祂的道理。」當一個人遭受困頓、艱難時，我們總會用這些話來安慰他，因爲有時阻力會變成助力，促成他成就某項事物的因素。

我不敢說在橫學方面有何識見，只是這一路走來跟跟蹌蹌，多病多痛，飽嘗人生五味；從小虛弱過敏的體質，得到母親悉心呵護照顧，使我不覺懊喪，母親的愛是我快樂的根源。婚後，兼顧職業與家務，罹患了暈眩症，幸虧大哥——軒轅教掌門人談清雲先生，傳授我練氣法，讓我立即跳脫困境，（這在迷路神經篇中有詳細說明），從此開始氣功靜坐法的修練。後來大哥又陸續傳授我穴道按摩法、冥想法、及女性洗髓功，使我在袪病除痛之餘，尚有餘力追求我的理想——寫作，豐美我的人生。更在這身體健康走下坡的年齡，還能擁有青春的朝氣與活力，都得感謝這一脈相傳的中國醫學、中國功夫。

常有人問我氣功練多久了，其實時間長短並不能代表功力深淺，重要的是要有所得，更要有臨床實驗佐證，當我每次面臨棘手的病症時，總將它當作一次新的挑戰，「人生是一連串不斷的奮鬥」，這句話就會支撐著我去面臨挑戰，所以挑戰愈多，功力也相對的增長。我相信人如果心存善念，隨時隨地都會碰到好因緣，正如患腫瘤的腫瘤科醫師李手女士所說「癌細胞也能變成佛細胞」，這位棄絕西醫療法而就中醫學及大自然療法的醫師，與我交談後說：「眞羨慕妳有一位大師級的哥哥傳授功法給妳……」。其實在這本書中，我將所有功法公開，每樣都很簡單，希望幫助跟我一樣受到病魔折騰的朋友，解除病痛，得到健康。

寫這本書的過程難免遇到挫折、瓶頸，先生見狀，往往利用假日陪我至郊區散心，暫時將寫作之事擱在一邊，完全放鬆的去欣賞風景，參觀展覽的文物，休息過後，又會靈機一現，茅塞頓開。或與朋友小聚，或閱讀書籍，也都能讓我有所觸發，是否這顆容易感動的心，還是「念茲在茲」的緣故，在在使我很順利的在短期之間寫成這本個人五十個歲月的生命點滴。

「使你活得更健康」成書，首先感謝向明先生替我取書名，畫家楚戈先生幫我題字，畫家蔡信昌先生爲我素描。寫書初期孫如陵先生及陳姐若曦不斷的鼓勵，使我滋生寫下去的勇氣，感謝這些前輩作家待我有如么妹般愛護，同時二話不說的爲我寫出精采的序文，人生何其有幸，得以結識才氣洋溢的前輩們，並常常爲我指點迷津，使我在文藝的路上愈走愈寬廣。

先生服務之新光人壽公司總經理鄭弘志先生，頗有音樂素養，承蒙他愛屋及烏的情懷，在公務繁冗之際爲我作序，於此重申謝意。

另外感謝師大尤信雄教授，爲我考證一些典故用語，讓我省卻不少查證的功夫，感謝扶輪社劉家成先生的慈善支持，給我莫大的鼓勵。「使你活得更健康」在我親愛的家人、同學、同事、友人們的期待聲中，終於跟大家見面了，希望大家都健康、快樂。

談眞序於南園

青春之泉

靜坐法入門(一)

在忙亂的現代社會，生活的壓力往往令人身心疲憊不已，除了需要飲食和睡眠來補充外，要需要仰賴精神修養來調整各項功能，恢復精力，使身體器官產生自動免病的功效，所謂精神根本修養法，即靜坐深呼吸運動，它能產生不可思議的功能，可使身體各機能作適當自動補充，促使體內血液流通，減緩身體器官之老化，裨益良多。

靜坐吐納，採丹田呼吸，也就是腹部呼吸，即配合意念、觀想之作用所作之呼吸法。

首先我們要認識丹田的位置——將二拇指分別置於肚臍兩邊，餘四指覆蓋於小腹上，食指相接所構成的心形部位。即何謂廣義的丹田，另有人指氣海或關元穴為丹田，至於真正的丹田則練出反應時自然知曉。

吐納時，以丹田為本位，進氣時丹田鼓脹，呼氣時丹田收縮，「因是子靜坐法」即採此功法。

初學靜坐者，若能掌握調身、調息、調心三個要領，也就能入靜統一精神。分述於下：

(1)調身——上身自然放鬆，腰部可以靠墊，雙目閉闔，心窩下降，雙手結印相抱，即將右手拇指插進左手拳中（虛拳），餘四指包住手四指，置於丹田部位。

(2)調息——舌抵上牙床，以鼻呼吸，吸氣時小腹脹，呼氣時縮小腹。一呼一吸為一息，每一息的長度約八秒左右，務必以暢順為主。

(3)調心——人是思想的動物，心猿意馬，易放難收，調心不在停止思想，而是單一思想，其法如下：

①數息法——以一呼一吸為一息，若於數息當中忘記數目，或萌生

雜念，即需重頭再數，久而久之則雜念不生，並能統一精神，每次最少數一百息至三百息。

②觀想法——觀想自己信仰的佛祖、菩薩、神祇等，並默念其法號，更能達到統一精神的效果。

盛暑時，更可觀想在清泉，瀑布邊枝葉繁茂的濃蔭下打坐，會讓自己身心清爽；嚴冬時，可觀想在熊熊爐火前，或麗日當空，陽光遍灑全身的情境，自然覺得暖和。這與「望梅止渴」的道理是相通的。

靜坐入門法㈡

氣功分為靜功與動功，靜坐是氣功中靜功之一種，故靜坐乃練氣功的方式之一。靜坐應以意念活動為主要之修持，否則只是閉目枯坐而已。無法達到祛病養心的作用。

靜坐時雙目輕閉，避免視覺刺激對大腦皮層的興奮衝動，有助入靜。舌抵上顎，是指練功時舌尖輕輕觸及上牙後的硬顎，氣功家稱之為搭橋，是銜接督、任兩脈的鵲橋，並有利舌下金津、玉液兩穴噴出口水，以利消化。

坐式有自然盤膝坐、單盤膝坐、雙盤膝坐，每次靜坐廾、卅分的初學者，定會覺得腳痲，可於調身時先活動髖關節，膝關節與踝關節，並於靜坐完時按摩全身，使之完全恢復為止。久而久之，就會逐漸適應，更能充分放鬆。

單盤和雙盤的姿勢，可使軀體重心下移，穩如泰山。如不能盤坐者，須坐在靠背的椅上，讓雙腳平放地面。

靜坐中之意守——

靜坐中之意守，須在吐納法、數息法熟練之後實施，意守乃是靜坐中意念集中於某一位置或事物而言，如丹田、湧泉、青山、海洋等。

經實驗證明，練功時意念集中那裡，血氣即往那裡流動，其血液循環量比非意守部分增加二五％左右。意守部位雖多，但大多致以丹田為主，人身丹田有三，兩眉之間為上丹田，兩乳之間為中丹田，臍下一寸五分（氣海穴處）或稱三寸關元穴處為下丹田。一般皆以意守下丹田為主，因這一部分面積較大，並位於人身之中央，在意守具體掌握上比較容易，另外很多功法都要求腹式呼吸，意守此處，有助於腹式呼吸的形成。氣海穴，中醫認為是生氣之源，人身真氣以此而生。嬰兒在母胎時，全靠臍帶吸取生命的元素，集念丹田，則氣息調和，培根固本，意守此處，有加強元氣、協調臟腑、通經活絡、調和氣血、消除疾病、益壽延年等作用，其他意守部位雖各有其作用，但就作用的廣泛性和重要性而言，則遠不及下丹田，因此，我們以意守下丹田為主。

淺談穴道

穴道是人體表面凹陷的部位，為血氣經過的通路，穴大致位於骨骼與骨骼之間、骨骼與肌肉之間、肌肉與肌肉之間的縫隙，穴點可連成經，而經與經的連繫稱為絡。

先賢曾以山間泉水自源頭湧出，到匯流入海的形態，來描寫體內脈氣行走的情形如下：

㈠井穴——所出為井。是脈氣的出發點。

井主治心下脹滿。

㈡滎穴——所溜留為滎。是脈氣開出後，像水有滎洄形態，滎主治身熱。

㈢俞穴——所注為俞。注是像水從上而下注之意。

俞主治身重、關節疼痛。

㈣原穴——所過為原。是氣息平靜，如水平易通過。

五臟六腑有病，皆取原穴治療。

㈤經穴——所行為經。是指脈氣不停留而經過。

經主治喘咳，寒熱喘咳。

㈥合穴——所入為合。合是脈氣從體表匯合走入內臟。合主內臟。有治氣逆喘息作用。

穴道按摩之所以能療傷、袪病，可從經絡與穴道之生理關係加以研究，經絡是輸送人體血氣之管道，好比大地上河流溪谷為輸送「水」的道路，若河道汙塞，則水流不通，必定四溢成災，同樣的道理，人體內的經絡若是受到阻窒，那麼人體必生病痛，穴道按摩即是可以打通阻塞之經絡，使得血氣之運行暢通，所以能治病痛。

穴道治療的作用有四種：

(1)治療穴道本身及附近部位之病痛：茲舉手陽明大腸經為例，按摩曲池穴可以治療曲池部位以及肘部或臂部的傷痛。

(2)治療經上遠處之病痛：手陽明大腸經所經過的地方皆是它的轄區，按摩曲池穴可治腕關節風濕痛、肩胛風濕痛。

(3)治療經上所屬內臟之病痛：手陽明大腸經所屬之內臟即大腸。按摩曲池穴，可以促進消化、新陳代謝機能及保健作用。

(4)治療所表裡內臟以及經上之病痛：手陽明大腸經與手太陰肺經互為表裡，故按摩曲池穴可以治感冒，治肺經及肺臟之病痛，乃根據此理論而來。

手太陰肺經示意圖

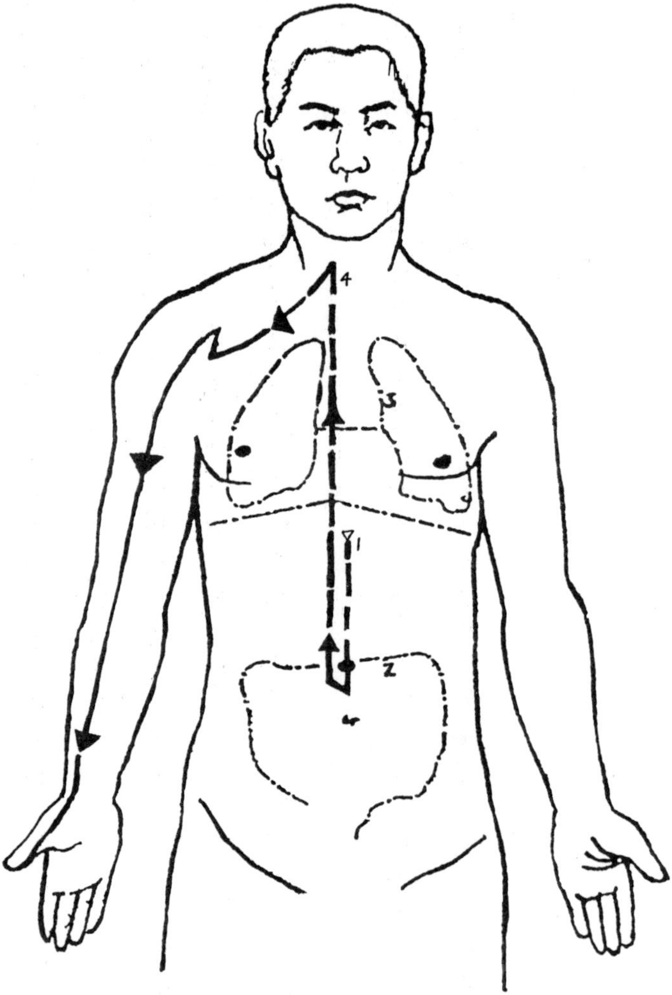

十四經脈示意圖，取自談清雲著「民俗療法大成」。

手陽明大腸經示意圖

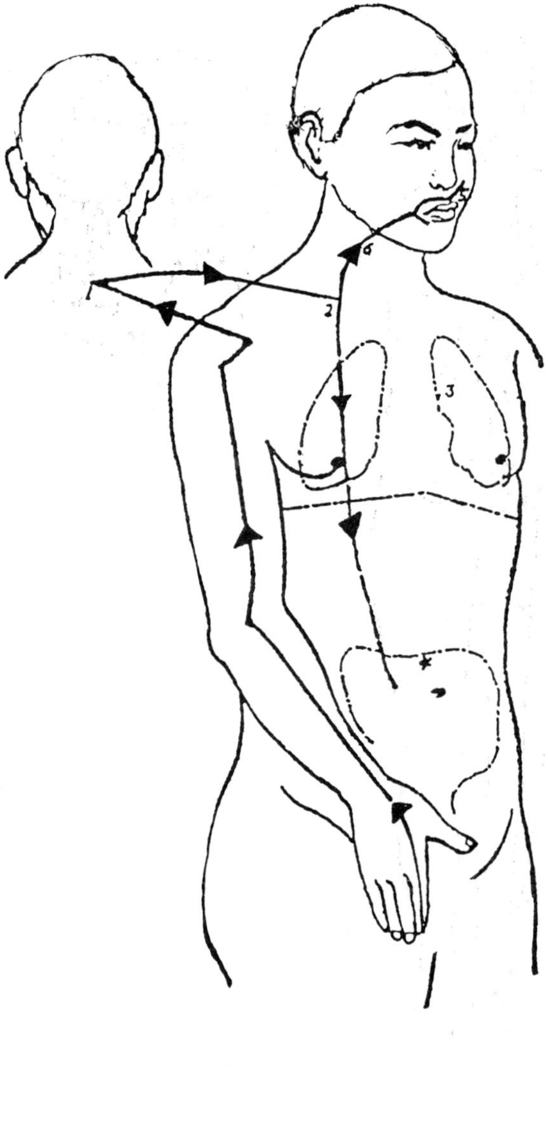

足陽明胃經示意圖

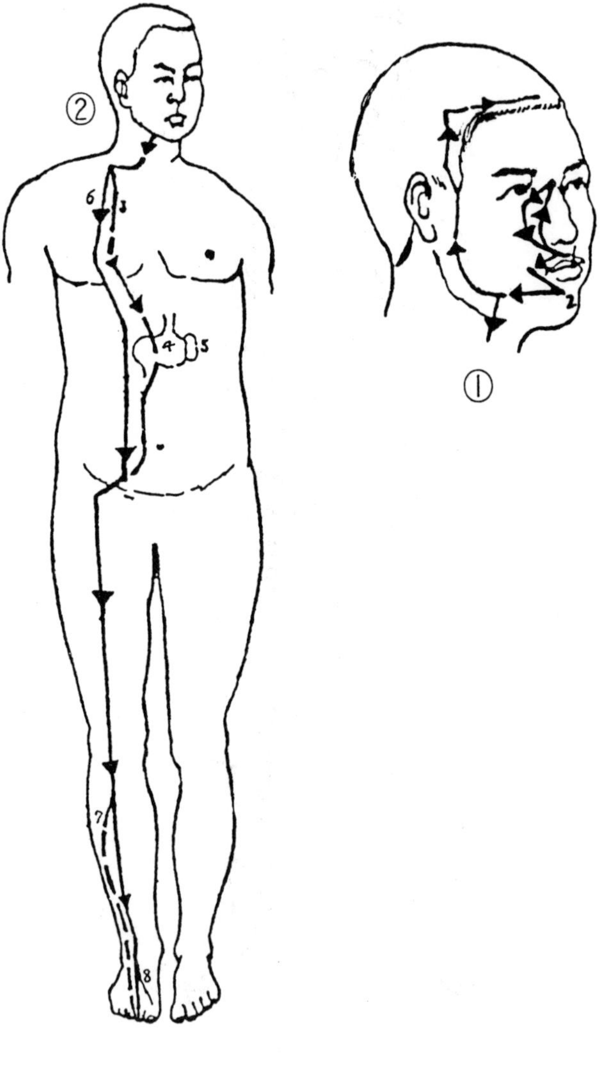

足太陰脾經示意圖

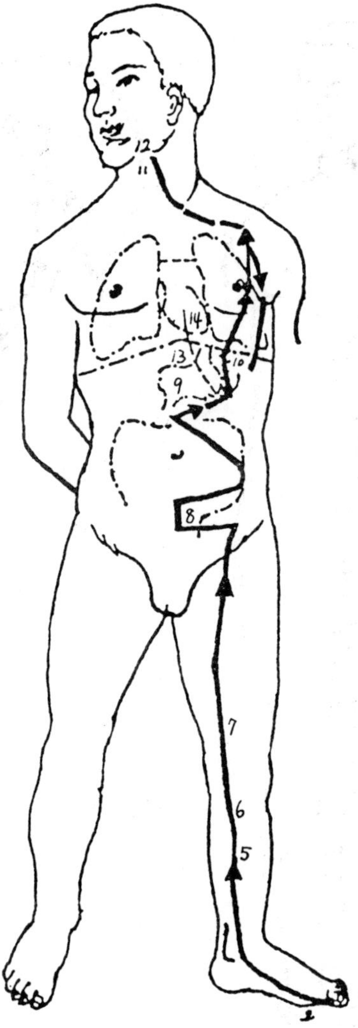

手少陰心經示意圖

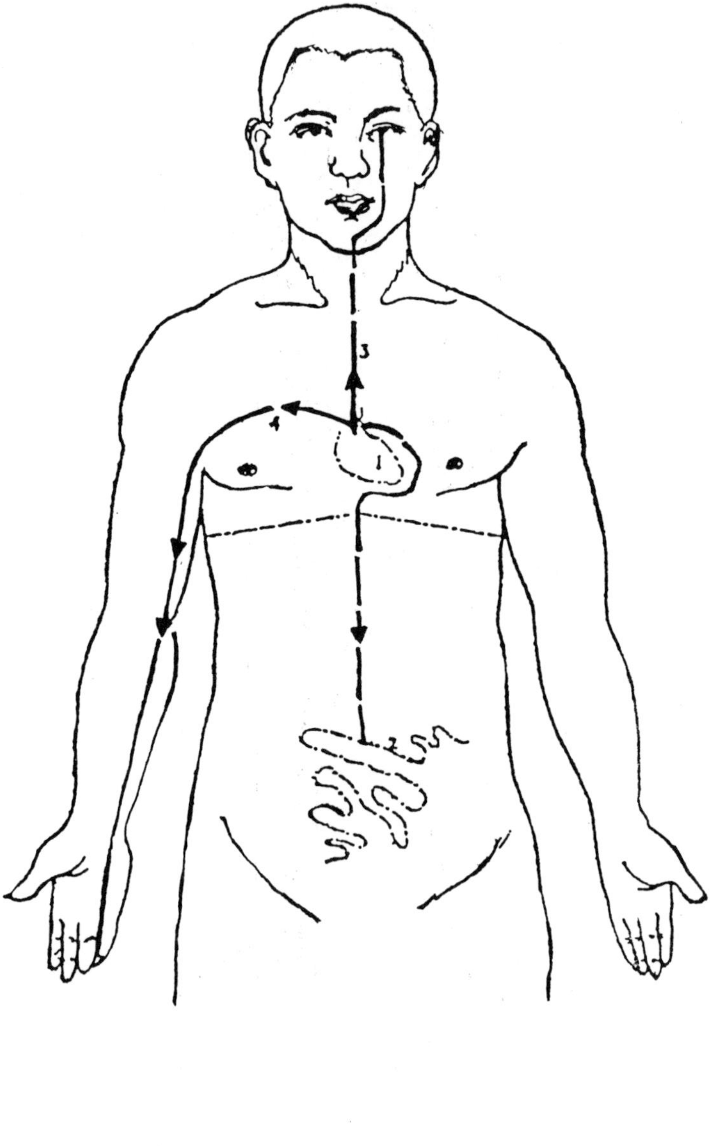

手太陽小腸經示意圖

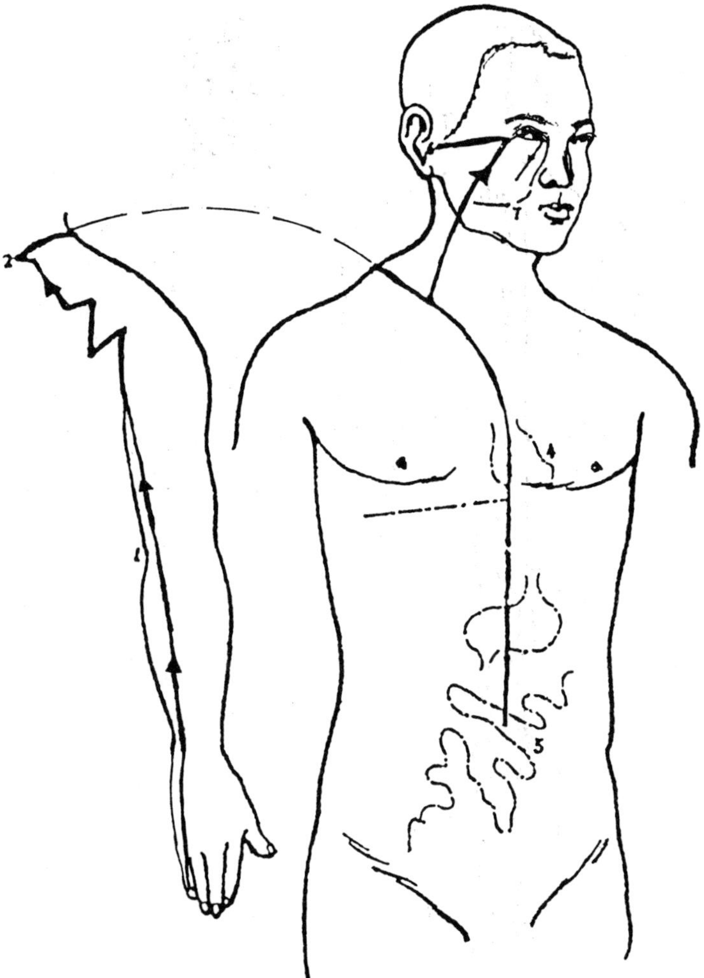

足太陽膀胱經示意圖

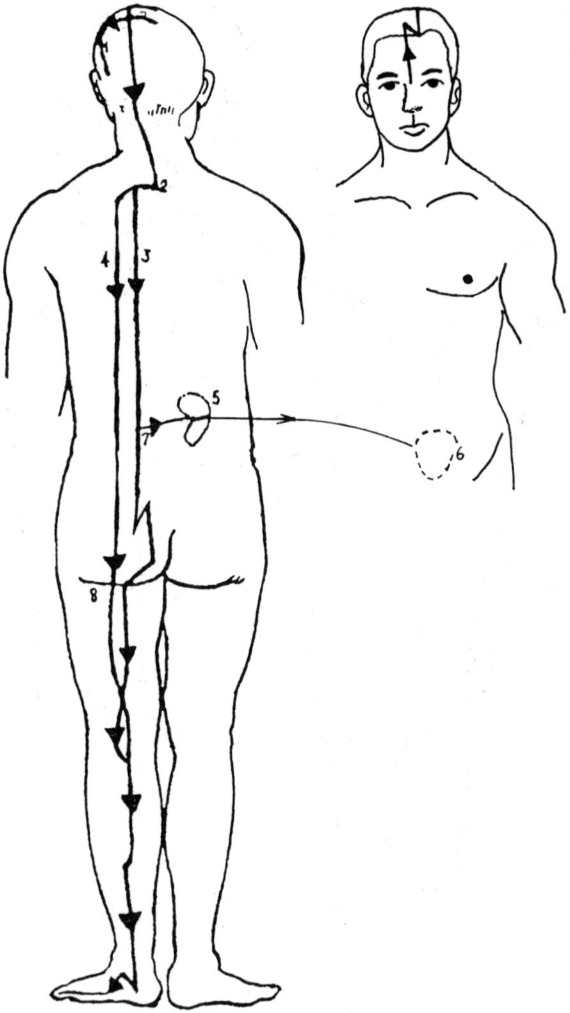

足少陰腎經示意圖

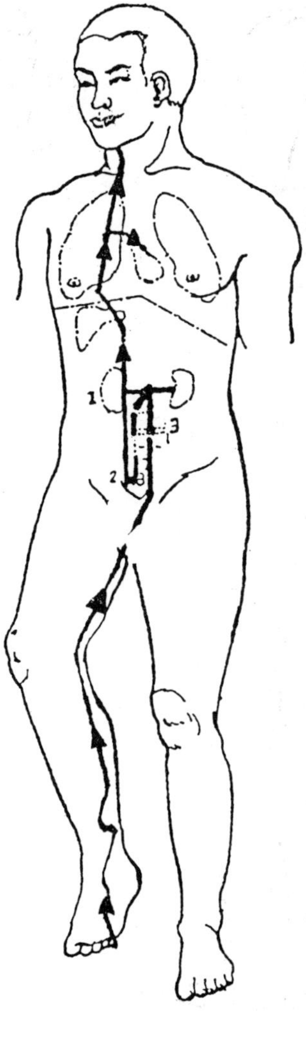

手厥陰心包經示意圖

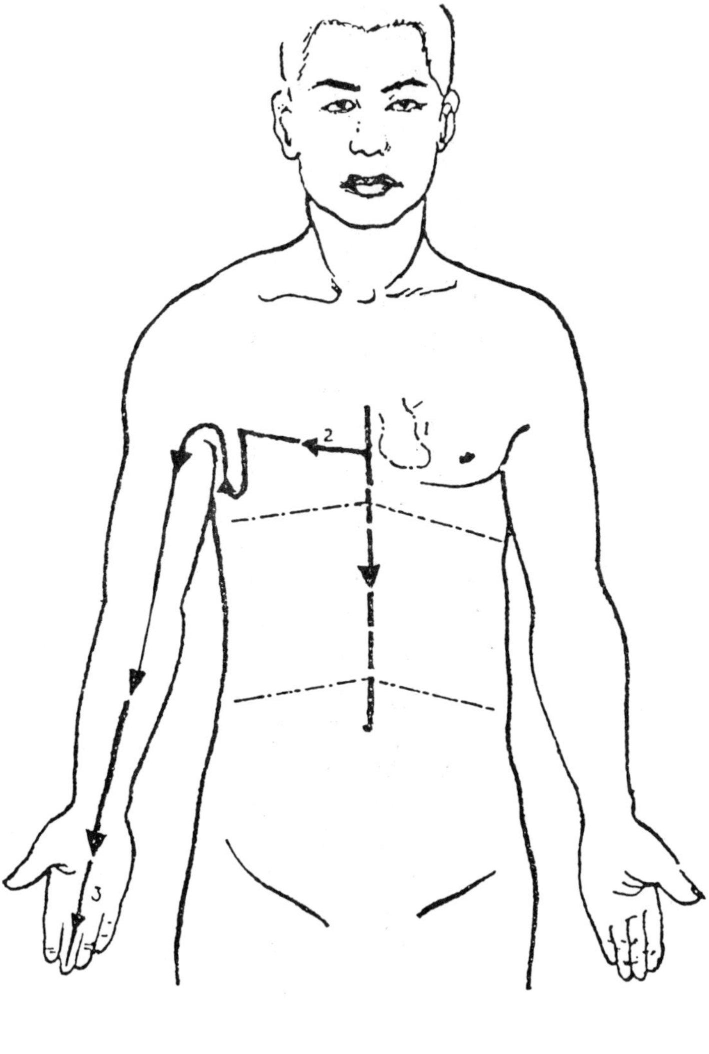

手少陽三焦經示意圖

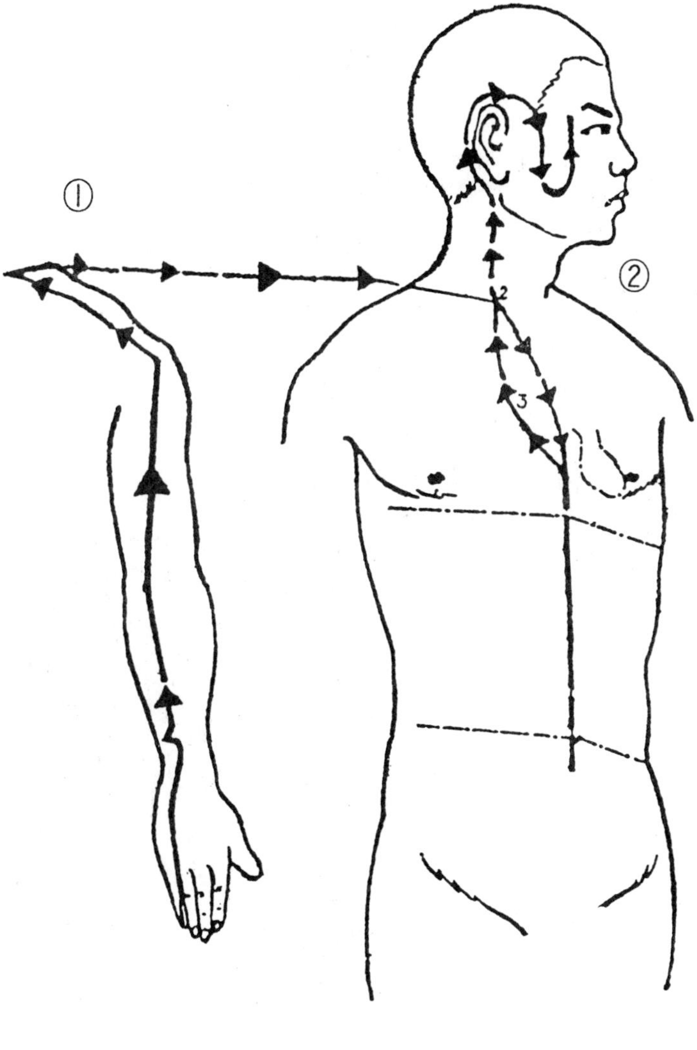

足少陽膽經示意圖

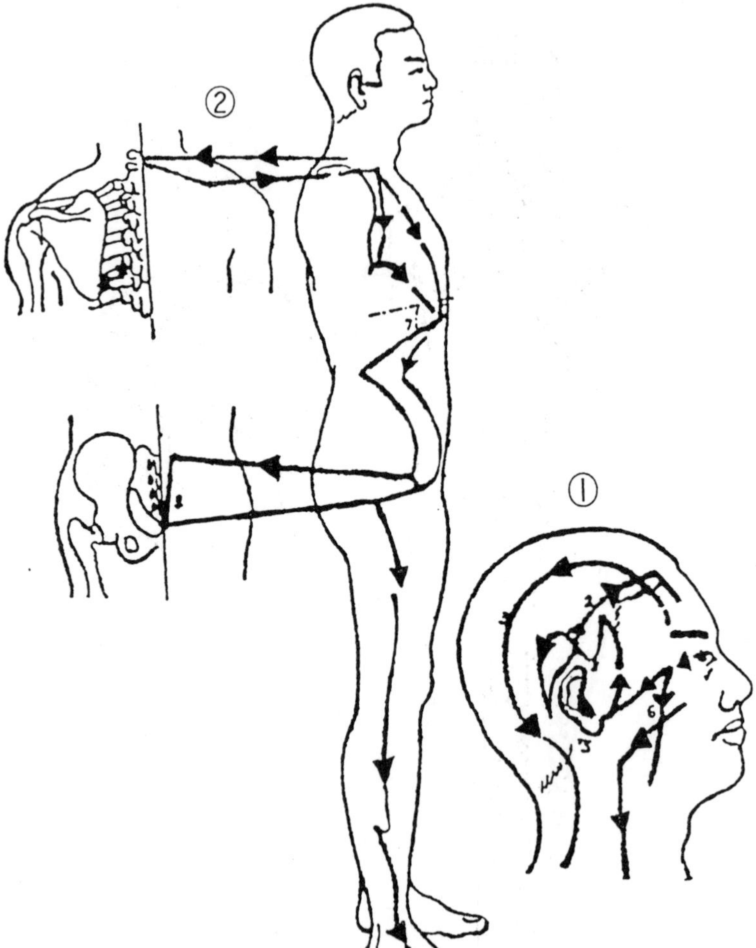

足厥陰肝經示意圖

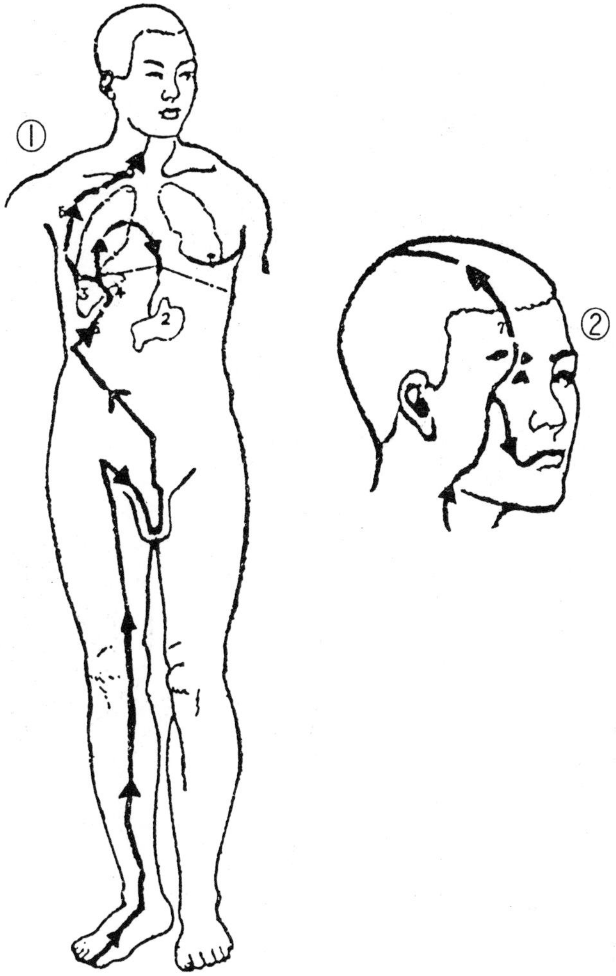

督脈示意圖

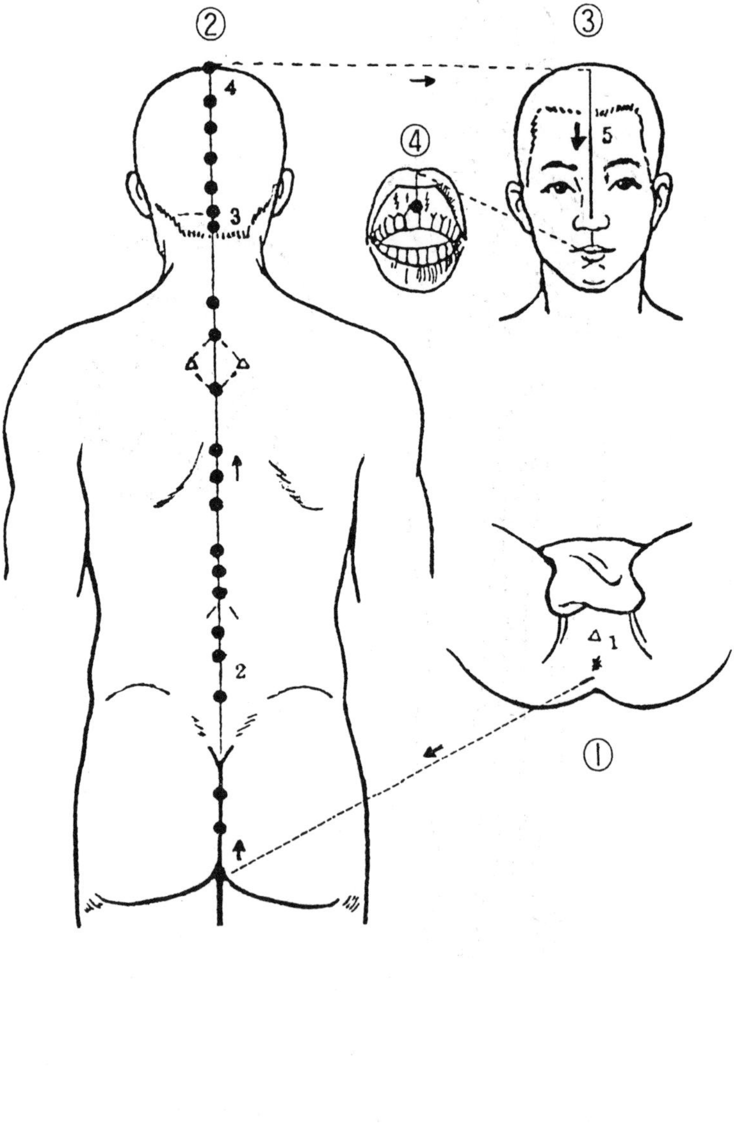

任脈示意圖

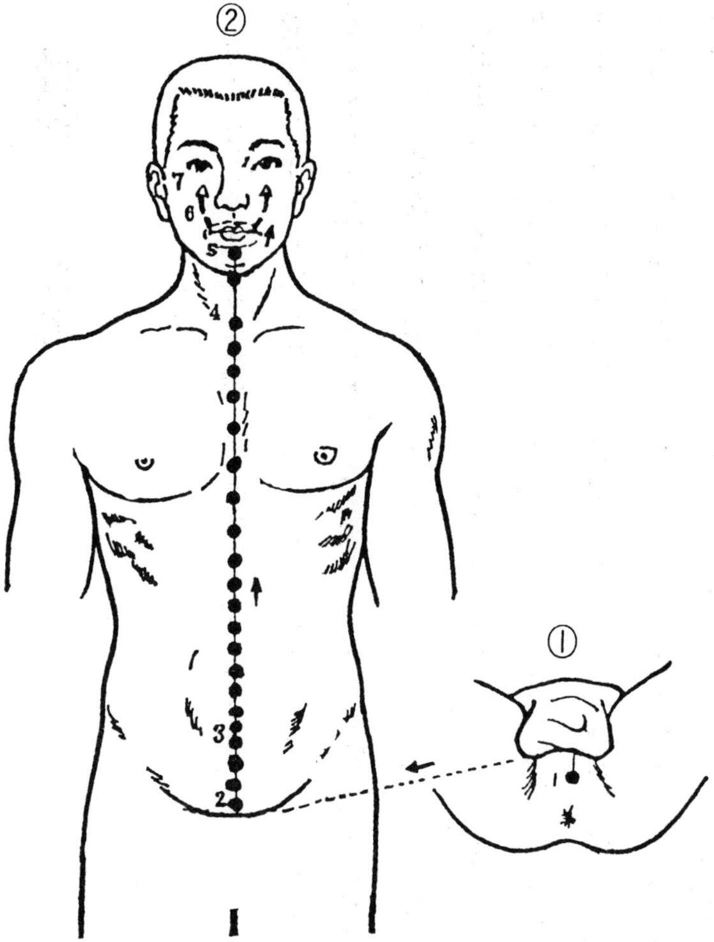

骨刺——刺骨

剛進國中任教時，一些資深同事常苦口婆心要我們善加保健，以免得到國文老師批改作文的職業病——骨刺。記得七十年代，國文老師須任教兩班的國文課，一個班級每學期作文篇數是十篇，當時批閱作文得用毛筆，一篇文章須要改其錯別字、詞句、文意不順暢者、斷句、眉批、加上總評，耗時費力，況且每班有近五十名學生，一班改完了，接著又是另一班，我們戲稱之「陰魂不散」，如此案牘勞形，日積月累，不病也難。

筆者卅來歲時於頸椎長骨刺，壓迫神經系統，造成肩頸酸痛，積於多年病痛之經驗，每當身體某個部位有症狀時，首先看西醫，經科學儀器診察出病灶所在，再對症下藥處理。根據醫生說法骨刺是屬於退化性關節炎，案牘勞形者，坐姿不當者，使力過度者，骨質退化，影響椎間板突出，壓迫神經系統，造成酸痛異常。除了頸椎、腰椎、胸椎之外，其餘如膝部、腳底等處亦有可能長骨刺。

「骨刺」，一般西醫認為除了動手術外，它實在不能消失，但稍一不慎，危險性相對提高，而且復發的可能性亦高，故西醫大致主張作理療復健、它的方式是熱敷之後，再吊脖子（或拉腰）、照紅外線等，通常作了一段療程後會感覺舒暢些，可是無法根治，不久又故態復萌，故在理療室裡，大都是長期病患。

遇此刺骨棘手的問題，我們只要認知骨刺造成酸痛的原因，在於氣血虛弱不順，所以如能使其觸及的神經系統溫熱，讓血氣運行通暢，即可恢復健康。

筆者頸椎部位有兩處長骨刺，初時有頭暈及酸痛之症狀，但我不用吃藥、復健，很快就與常人無異，此乃得助於吐納法的鍛練，氣貫丹田之餘，再引氣至病灶，氣過之時有微痛感，稍後即消失，此即表示氣已暢通無阻。

尚有較簡易之法——先用雙手摩搓生熱，再搓揉患處，直到患處發熱，再行吐納法，吸氣時冥想太陽火球照射其間，感受熱量之源源不絕，吐氣時，意將寒氣吐掉。練習吐納法宜在餐後一個小時後行之，有空就做，一旦氣血通暢之後，酸痛自然消除。

有關長骨刺之保養方面，平日要注意坐姿端正，切勿彎腰駝背歪斜不正，並忌食冰冷飲食。會傷及患處的運動避免去作，譬如頸椎有骨刺時，不宜作倒立，犁鋤式的動作，以免雪上加霜。睡眠時墊的枕頭講求軟硬適中，選擇能頂住頸椎之厚度為佳，腰部與臀部懸空之處，置一如嬰兒枕般的墊子，藉以使骨架得到完善支撐，如果方便的話，多浸泡熱水、溫泉，都能使患處得到充分的保健。

迷路神經失調

那年，我廿九歲，剛生下女兒不久，由於白天教書，晚上得照顧嬰兒，未能適當休息，以致患上暈眩症，當公保耳鼻喉科醫生宣布我罹患迷路神經失調的症狀無法根治，只要保養不夠，就會再患時，年輕的我，頓時覺得人生黯淡，忍不住悲從中來，潸然淚下。

家人或朋友總是勸我多作一些運動鍛鍊體力，只是沒打幾下球，或上一小段山階，我就臉色發白，直冒冷汗，嘔心欲吐，連運動的本錢都沒有！

嚴重時，躺在床上，側個身，直覺天旋地轉，噁心嘔吐，故有一陣子不敢上美容院，因為洗過頭欲起身時，暈眩毛病就來了，根本無法正常立起走動，真是苦不堪言，服過藥後，也沒多大改善，忍不住要問天難道我就這樣終此一生嗎？」

約莫過了半年的痛苦時光，有一次大哥因應聘欲出國，行前來訪，跟他談起這個症狀，他説我屬於血液循環不良引起，練習吐納法一定會有所改善，於是，那個夜晚，在大哥從旁指導下，我練氣功靜坐二十分鐘，覺得身心從未有過的舒暢。那是非常簡單的呼吸法，（於靜坐入門篇章已有敘述），氣息一出一進之際，如同幫浦之充氣，氣血遍佈全身，我試著將頭左斜右傾的，卻絲毫無恙，驚喜之餘只覺得神清氣爽。

吐納法對正常健康的人來説微不足道，但對病患而言，可是一件至寶，因為它，那神奇的夜晚，使我領悟到平凡的偉大，亦即只要善加利用平凡的東西，説不定有意想不到的功效。

簡單的功法，尚須仰仗恆久的耐心和毅力，才能慢慢與之融為一體，為自己所用，欲保持身體的健康，我不敢大意，規定自己每天無論如何總要抽出十分鐘鍛鍊，因此也就未再因迷路神經失調的症狀而頭暈，這是我平生第一次接近靜坐法，也因此與「之」結下不解之緣。

心胸噎悶時

心胸鬱悶，胸中有壓迫感心痛，分屬於機能性的心臟病，與臟器本質上的變態兩種症狀。前者形成的因素可能是過度神經緊張、過度勞累，以致有神經過敏，心跳不正常，陣發性心跳過速等現象；後者則屬於心臟病的範疇，包括心肌梗塞、心絞痛等，發病的原理，都是供應心肌血液的動脈出狀況，血管管壁黏滿脂肪類的物質，使管腔越變越窄，有的變得硬化，血管彈性變差，儘能供應少許血液，當心臟的負荷因任何一種因素而需要增加時，心肌都會有缺氧的現象發生。

有些人在日常生活運作中，不會感覺異樣，但當平躺下來時，就覺得胸中噎悶、心氣悶亂，心痛等現象，莊子天運篇記述：「西施病心，而顰其里，其里之醜人見之而美之，歸亦捧心而顰其里？」，我們姑且不論其美醜，重點放在令西子皺眉的心痛。內經經文：「陽維陰維者，維絡于身，……陽維為病苦寒熱，陰維為病苦心痛。」維絡指維繫經絡，陰維脈是指由兩手心沿內面小臂、上臂至兩乳處。

陰維脈之走向與心經、心包經相仿，至治心、胸疾患，故有此症者，平日可作甩手功，早晚各一次，兩膝微曲，並隨著手臂擺動，膝部同時反覆伸曲，如此，可增大下肢血行量，並減少運動後膝蓋部位的僵直感，進度可由每次五分鐘擺動三百次，逐漸增加。

有位同事原本就有心律不整的症狀，適逢更年期，病情更趨嚴重，見她臉色暗淡，愁眉不展的，經我於其心經和心包經絡作整體的止壓後，再於其心經上之神門、少衝兩穴位、以及心包經之內關、脾經之公孫作點穴的療法如示圖，只短短十分鐘過程，她便覺得身心清爽，胸中沒有負荷，後來她說：「讓妳點穴一次，我可以三天不用服藥。」另外一位患狹心症的長輩，本來心悶氣亂的，無法行動，後來經我作穴道按摩後，馬上精神煥發，能上樓去點香禮佛，隨後又能出外散步呢！

心經之神門穴，有鎮靜及調節內臟器官的神經作用，對心臟病有特效，少衝穴，是指端最敏感的穴位，刺之能刺激末梢神經引起反射作用，能治心臟疾患、昏迷。

心胞經之內關，是心包絡之絡穴，和陰維脈相通，主治心痛、心煩、胸滿、心臟衰弱。「配脾經之公孫」，公孫聯絡衝脈，與陰維脈交會於心、胸、腹部，所以主治心腹疾病，為歷代鍼灸家所公認。

為了維護我們的心臟機能，平心靜氣，不要過度煩憂、焦慮，氣功靜坐確是養心的好辦法，藉以強化心肌的功能，增加血管的彈性，氧氣供應自然充足、胸滿、心悶自然消失於無形。

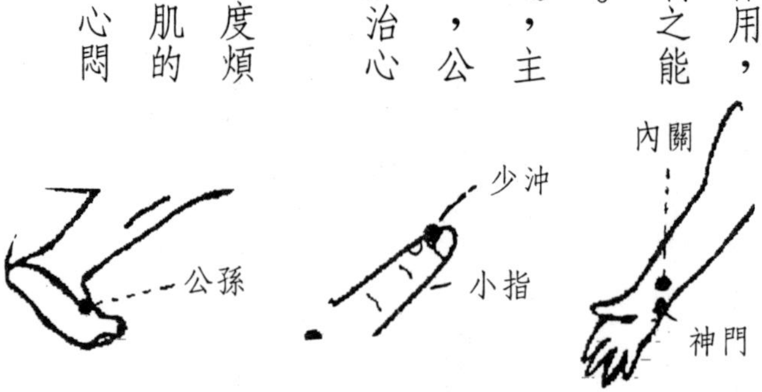

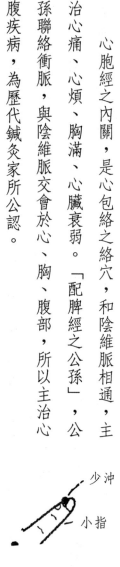

子宮摘除與身心抽離術

我們如果能像異人般，將內臟掏出清洗，讓身子裡裡外外作徹底的洗滌；那麼當病變發生時，就不致於倉皇失措，認為一切發生得突如其來。

那個夜晚因下腹部疼痛，家人緊急送醫，經醫生診斷為子宮內膜異位，大量出血，須立刻作子宮摘除手術，聞言，內心衝擊可想而知，深深體識到為人的無明與無奈，倉促之際，別無選擇，馬上被推進手術室，作下半身麻醉。

深夜，當麻醉藥效過去，身體覺得疼痛難忍，雙腿又重若千斤，無法動彈，不管如何按摩、抑制都無法克服疼痛的侵襲，我猶似面臨一隻虎視眈眈的巨獸，祇能坐以待斃而束手無策，捱到後來，突然靈機一動，想著自己有過飛翔的夢——在困境中搏扶搖而直上，脱離塵囂，悠遊於云天之際，此時何不……。

所謂：「窮則變，變則通。」我終於有了對策，試著運用「身心抽離術」，亦即是將主宰我肉身的心靈，想像它超乎於肉身之上如此心靈與肉身分成兩個獨立的個體，心靈懸於半空中，向下俯視我那卑微羸弱蜷曲的肉身，霎時，我的靈飛成翩翩天使，因之，「我」處在肉身之上，肉體彷彿離我而去，疼痛亦隨之消失……。

子宮摘除後遺症與吐納法

作了子宮摘除手術後，憂鬱、晦暗時時湧上心頭，看著瘦弱的自己，忍不住顧影自憐掉下淚來，朋友見我憂傷至此，有人勸道：「子宮於你，生兒育女的天職已屬，現在離去，不正是時候？你又何必難以割捨？」話是不錯，只是它在我體內近四十年，與自己生息與共，如今驟然消失，就如同失去一個至親好友般，怎不令人悵然。

我們身體內的器官都是各司其職，恰如其位的缺一不可，所謂「天生我材必有用」，摘除子宮後，身心受到極大的創傷，雖說時間可以沖淡一個人的創傷，但子宮除了養兒育女的功能外，它與其他器官相互牽繫的功能，可是無法遞補的，而且還會隨著時日更加重它的後遺症。

「尿失禁」是子宮摘除的後遺症，因為它影響神經系統，以致膀胱無法正常收縮，尿液停滯，造成溢流性尿失禁，抑或手術後組織纖維化，失去彈性，無法排空，易生病菌，泌尿道發炎，最後造成晚期膀胱不穩定，與容受度減低。看看我周遭的同事，友人就有多位因手術後，造成尿失禁的症狀，甚至打個噴嚏就尿濕，只好戴上護墊，以防萬一。

關於「尿失禁」，筆者多虧拜了練氣法之賜，膀胱功能並未受到影響，同時也因氣功之習練，身體復元較快，歷此一劫使我更加體認吐納法對人體的幫助，因為在鍊氣時，收縮會陰、肛門的肌肉，頗能控制膀胱的功能，若能每日早晚各作三十次深呼吸，有病治病，無病強身，何樂不為？

乳房的夢魘

女人最容易罹患病症的兩個部位——子宮與乳房，上天已經摘除我的子宮，該不至讓我再受另一個罪吧！沒想，有一天夜裡側臥時，忽覺腋下神經抽痛，於是檢視乳房四周，竟觸著一個硬塊，它定定的不動，心想這不正符合癌症之病徵，一時惶恐、沮喪之情油然而生，好不容易熬過一個晚上，隔天趕緊赴健保大F門診，那位某大醫院外科主任，觸診過後，斷然判定是腫瘤，要我上他任職的醫院掛號，以便安排手術病房。

因事出突然，先生馬上取消外島出差，陪我去掛號，看診時主任大夫開會不在，代班醫師建議我先作檢查，了解病況，經攝影照片後，檢驗人員根據檢查報告說：「是水泡，沒啥要緊！」聞言一顆焦慮的心頓時輕鬆起來，上天對我還是蠻寬厚的！

荒謬的是，隔了兩天醫院護士來電說：「病房有空，可前去辦理住院手術。」天呀！這等醫生，差點栽在他手中。

為了驗證診斷無訛，我到設備鼎新的新光醫院檢查，結果是一致的，由超音波照相看出水泡體積蠻大，若讓它繼續成長乃致破裂，可能造成乳房發炎，故醫生用針管吸出滿滿的一管液體。

因為水泡會繼續衍生，隔一年半載，就得上醫院檢查、取出、化驗，看結果，耗費很多時間和精神；由於多時沈浸於經絡穴道的探索，體會經絡是輸送人體血脈的管道，好比大地上之河流溪谷為輸送「水」的道路，若河道淤塞，則水流不通，必四溢成災，而人體內之經絡若受阻，則人體必生病痛，於此不妨將胸脅附近的穴道加以點壓，打通阻塞之經絡，使血氣運行暢通，視之能否見其功效，數日之後，果然疼痛消失，而水泡趨小，免去我上醫院之奔波、折騰。

冥想去腫瘤

老天呀！為何一再的讓我發生病痛，在中正紀念堂的桂花園中，我覺得自身有若花之飄零脆弱無常，倒不如覆在花兩中沈寂而終……。

昨日腹部右下方隱隱作痛，持續了一日夜，第二天趕緊到永和市柯瑞祥婦產科醫院診察，經過超音波掃描，結果是卵巢巧克力囊腫，約四公分大小，醫生建議我動手術將卵巢切除，否則它愈長愈大，牽扯層面愈廣，後果堪憂。

在桂花園裡，這個我療傷、靜修的園子，清新的空氣，助益我的思維，想到大哥在電視上作大發功時，有觀眾額頭上長瘤，因受其功法感應，一星期的光景，竟然將腫瘤給消除。由此可知，冥想發揮的功效，實在無可計量；於是靈機一現，想像有一道光芒照在卵巢上，當我吸一口氣時，那具有肅淨作用的白光，逐一的消滅腫瘤細胞，接著幽幽地吁氣，猶讓邪惡之氣息排出體外，如此一呼一吸，約莫廿分鐘，說也奇怪，那觸痛的感覺明顯減輕許多，直至第三日即完全輕鬆自在。

一個月後，再前往原來醫院檢查，醫生很驚訝的問道：「它幾乎不見了，你到底服用了什麼藥物！有如此神效？」他還希望我能為他們醫院作保健之講演。步出醫院，感覺生命如此美好，人生有哭就有笑，有缺就有圓，於是邁開步伐，桂花園有夢在追逐。

感冒

傷風感冒，輕則皮表，重則及脾胃，切勿輕忽感冒，因為感冒時身子較弱，許多病菌常常趁虛而入，如肺炎、中耳炎、腦膜炎等，造成一種永遠的傷痛。

那麼如何增加抗體，健全我們的免疫能力，即是一項非常重要的課題，咱們若能扶陽培元，衛外固中，使陽氣旺盛，則病邪不易侵犯。最好能到樹木茂盛的地方、山林公園都好，吸取植物經光合作用產生的氧氣及氛多精。有人習慣抱住樹木採氣，實在浪漫過矣，其實我們只要張開左右兩個手掌，離樹身一寸，即可感覺到手心的溫度，如果發熱的話，表示你採到真氣，反之，則表示你的氣為樹所吸收，這是大自然的奧妙，平常人還是少試為宜。

又是流行性感冒猖獗的時節，辦公室的同事們一個接著一個應聲而倒，有人開玩笑說，輪到我這兒就會PASS過去，果然如其所料，我是碩果僅存的一位，這可是氣功修鍊到一定程度的功效呀！

除了練氣能改變體質、增加抵抗力外，尚有飲食與穴道按摩的方式來幫助改善感冒的症狀。

飲食方面——

①喝紅糖生薑湯，生薑有散邪發汗的功用。

②喝冰糖檸檬茶，檸檬取其維生素。冰糖則有化痰的作用。

③喝薑燉雞湯，具滋養驅寒作用。

穴道按摩——曲池、合谷配合按摩，可以清熱散風，稱為治療感冒特效穴。

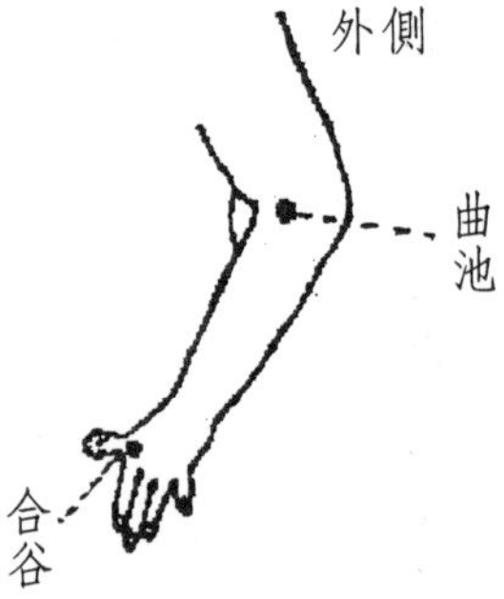

保護你的喉嚨

咽喉是我們飲食、呼吸的門户，在生活方面，咽為食道的上口，喉為氣管的上口，關係人生甚大，同時咽喉也是我們發音的器官之一，所以如何保健咽喉，是一件重要的課題。

我們知道口腔，咽喉息息相關，就如同唇齒相依，如果口腔的把關工夫不周詳，咽喉就會受到傷害，不知道你有沒有被魚刺刺進咽喉的經驗，真的是鯁之在喉，不吐不快。最快捷的辦法是馬上找耳鼻喉科大夫取出，否則會紅腫發炎。所以吃東西時，要用眼睛觀察，在口腔內經牙齒細嚼後，再慢慢吞嚥，以免嗆到、刺到。

咽喉發炎、腫痛、痰多，是感冒時呼吸器官最易受到感染的症狀，而且喉嚨發炎，連帶的影響聲音沙啞，這對仰賴聲音工作的人如教育工作者、播音者、導覽人員等都會造成極大的不便，那麼如何治療喉嚨發炎呢？不希望靠藥物消炎的朋友有兩種療法可作參考：

㈠飲食療法——以鹽水漱口，次數愈多愈好。儘量食用清淡食物，以蔬果為主，攝取豐富的維生素，水果以柳丁為佳，泡熱飲則以羅漢果，澎大海加冰糖，有消炎化痰的效果。

㈡穴道按魔法——肺經是主理一身皮毛（體表），凡自然界的風寒邪氣，侵入體表，可取大腸經的井穴商陽以宣通，清熱開鬱，（因大腸經和肺經有互相表裡（聯絡）的關係。故以「商陽」配其他井穴，如肺經井穴「少商」，心經井穴「少衝」，能泄臟熱，疏通經脈中的氣血凝滯加上增加自然治癒力的要穴「合谷」，是專治咽喉發炎、腫痛之症狀。另外肺經之「列缺」，在八法交會中交會腎經之「照海」，故主治咳嗽和喉痛，可加

以按摩。（圖示於後）

凡是練唱者或是教師們，都希望自己有副金嗓子，可經久不衰，而又中氣十足，這就得訓練丹田之氣，作腹部呼吸的訓練，於發聲時，彷彿腹內有個共鳴箱一般。較為動聽，而且用腹部發聲，不至於傷及喉嚨，有許多教書的同業，因不當的使用喉嚨，以致長了「喉繭」，成了棘手的職業病，所以腹式發音是值得大力提倡的「養聲法」。

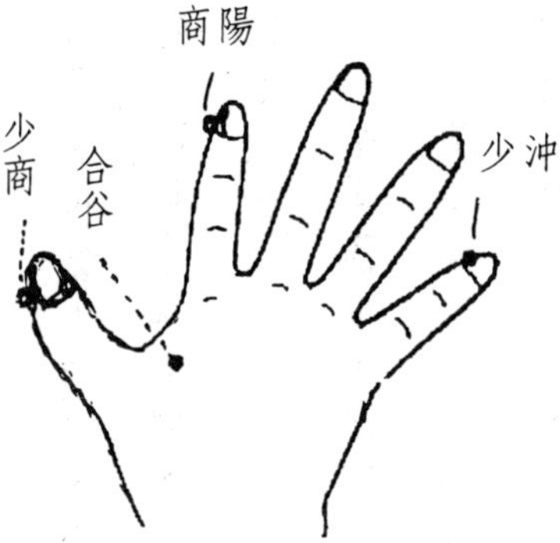

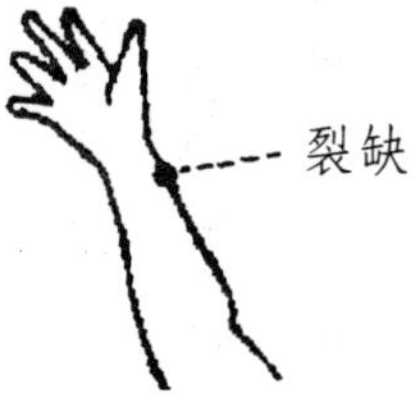

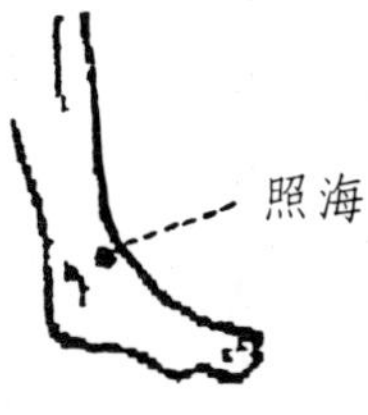

保眼DIY

身體虛弱易過敏體質的人，常會患眼睛疾病，如紅眼睛、結膜炎、角膜炎、眼睛或癢、或紅、或腫，少女時代常受眼疾的痛苦，記得那時正上演吉永小百合的「愛與死」，看她在劇中包紮一隻眼睛的模樣，頗令人憐愛，所以有一陣子我還以這種缺陷為美呢！至今回想起來才體會到母親的辛苦，她帶著我上眼科門診，沙鹿陳眼科，豐原張眼科都是我常去的醫院。

自從學了穴道按摩法後，眼睛的疾病很快就能治癒。我們知道人體器官、組織互相牽連、影響，所以一旦眼睛發炎時，除了它周遭的穴道以外，還有跟它有關的內臟，膽與肝相為表裡，目為肝之竅，以其經絡相通，都和目有關。中醫學所謂「臟府之陽氣，皆上注於目。」故氣盛則目明。

我們按摩眼睛的穴位有攢竹、睛明、絲竹空、瞳子髎、肩井。另外一個眼疾特效穴，屬於小腸經、膀胱經、陽維脈會穴的「臂臑」，經臨床實驗的結果，對近視、視神經萎縮、目赤、青盲，均有特效。如果國人能全面推行眼部按摩運動，那麼近視眼的比例一定會大幅下降，只是按摩運動須要有恆心，常年累月的經營，一般人往往疏忽、偷懶，以致造成視覺的障礙，結果花費更多的精神去配戴眼鏡，實在是捨本逐末。我曾經在學校的社團活動中指導學生靜坐後作眼部按摩，幾分鐘過後，學生都感覺眼睛明亮許多，有圖示於後：

有關保眼的食物，維生素A原（胡蘿蔔素）含量豐富的胡蘿蔔、蕃茄、枸杞子、鰻魚、肝臟等都是保眼素材。當我們有頭暈目眩、眼睛癢澀、疲勞、疼痛症狀時，通常是由於肝經積熱、腎經虛損，精血之氣未能上承，目失所養潤，故生病疾，所以除了休息養神外，適當的補充營養才有療效。動物的肝臟含豐富的維他命Ａ，尤其雞肝所含較其他為多，是豬肝的五倍。這也是愛眼者宜食用魚肝油的一份根據。至於鰻魚維他命Ａ的含量比任何魚類都多，不只含在肝臟，魚肉也有。芝蔴則在本草備要一書記載有明耳目的功效，故自古以來人們就知道芝蔴油對眼病有效，每天攝取一點即有其助益。

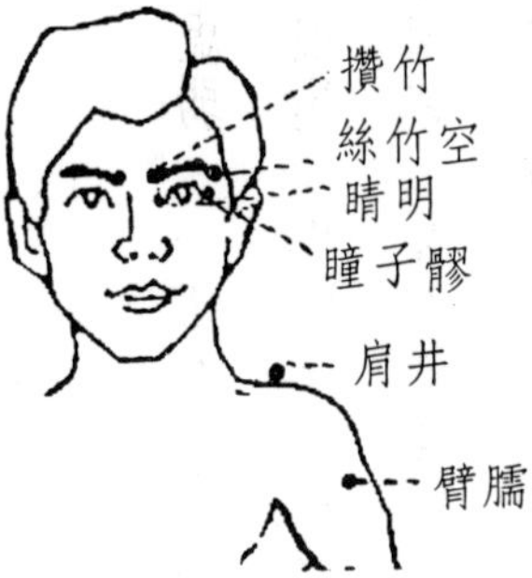

冥想去耳鳴

平生身子虛弱，如逢大聲喧嘩叫囂時，耳朵往往如遭針扎般刺痛，又似被物所罩一般嗡嗡作響。有陣子隨身聽正流行，一天改作業時，忽然心血來潮也跟時髦戴上耳機聽音樂，約個把鐘頭，取下耳機後，卻聽到我的耳朵組織鼓樂隊跟我抗議，整天如小鼓「得得、得得」像遠方戰鼓頻催，教我心煩意亂，也讓我領受耳鳴痛苦的滋味。如此揮之不去的聲音，怎一個「煩」字了得，心想或許睡一覺會好些，不想，第二天它依然猖狂如昔，毫不妥協。

如何將這可怕的入侵者送走呢？「斯來斯去」這個意念，讓我想到何不如藉我的呼吸法，吸進一口氣，送至病所，再由「耳朵」這個窗口送出去，於是，趕緊定下心來，重複習練約半個鐘頭，只覺得那鼓聲漸漸減弱，興奮之餘，當天一有空檔，我就不斷的進行這項掃除工作，待第二天睡醒，那抗議團隊終於偃兵息鼓、消聲匿跡。

有關耳鳴的穴道按摩法，大致以三焦經為主，三焦經之走向由無名指節外側、走上肢、頸下肌至耳朵周遭，以治耳疾為主，耳疾通常因熱病而發，這些穴道有清熱、除躁鬱之火，通經絡之作用。（請見前所示三焦經示意圖）

大腸經之合谷與曲池為整體治療的必要穴，因為合谷穴，乃增強自然治癒力的要穴，曲尺對內臟器官有強壯作用，故以之為配穴。

鄰居王太太告訴我，她耳鳴重聽，已十多年，經我採穴道按摩法，一次約廿分鐘，連續兩天，竟然將其廿年宿疾治癒，耳門頓開，有重獲新聲之感。圖示如下——

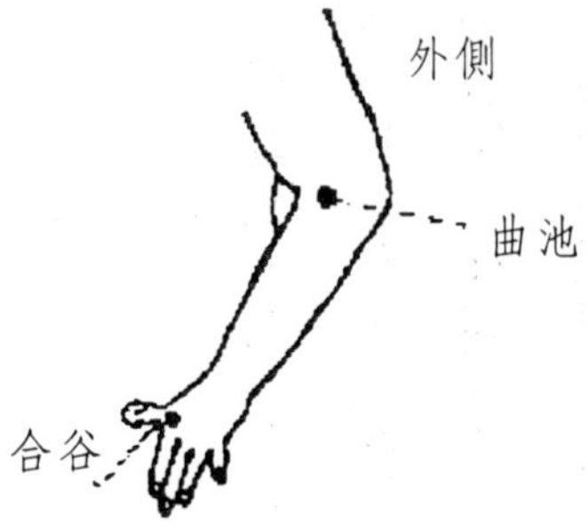

鼻子過敏

前面保眼篇我們已談過，五官相通相聯，鼻子過敏的人容易引起眼角發癢，鼻塞頭昏；打噴嚏、流鼻涕的毛病，台灣屬海島型氣候，溼氣重，故患鼻子過敏的比例頗高，先前鼻子過敏，往往被當成感冒來治療，故鼻病無法改善，現在治鼻病通常採用保健措施——利用除濕機，使環境保持乾爽，起床後先喝一杯溫熱開水，作運動，打球或游泳最好，鍛鍊體力，使身子強健。

有些人會心生疑問，明明前一天晚上睡覺前，感覺一切無恙，卻在第二天醒來時老是鼻塞，起床後又開始打噴嚏、流鼻涕，原因是鼻病屬溼寒症，一天活動量夠，滋生的熱力，能化解溼寒之氣，經過一夜停滯不動，周遭寒氣又乘虛而入之故。所以我們的保健按摩，得在起床前先進行，方法很簡單，用雙手之中指循著鼻子兩側至額頭，作上下搓摩，約卅十下，鼻子感覺十分溫熱後，再行吐納動作——

吸一口氣，意念至頭部，行閉氣的功夫，約三秒鐘，再吐氣，冥想一股暖流注入鼻子，如此重複六至十次，鼻塞自開，神清氣爽，起床後，也不似先前有過敏的苦惱。

腰背酸痛

內經：「腰為腎之府，轉搖不能，腎將憊矣。」腰部酸痛的原因除了腎氣虛弱，精氣不足，腎結石。或是感受風寒，或坐臥濕地，風寒濕襲入經絡。以及強力舉重，跌打挫閃，氣聚血瘀。

在我們身體中，有一個能自動調整身體機能的系統，稱為自律神經系統，分為交感及副交感神經，交感神經分佈最多即在背部，若此兩種神經失去平衡，即所謂的自律神經失調症，其症狀為全身疲倦，目眩、心悸，肩背酸痛等，要治療此症，只要增強交感神經機能即可。

人體背部隱藏極大的寶藏，它包括脊柱及支撐脊柱的兩側背肌。脊柱不僅支撐人體之重量，並有許多神經通往內臟，是十四經脈中督脈所在，一般整脊療法，是以脊椎為全身各部位病症之反射點而為診治。

脊柱兩側背肌是膀胱經所經之部位，人們睡覺時，運行不良的血液或瘀血，都沈積在背部膀胱經上，這也就是五臟六腑的病變或內傷，都可以在背部找到反應點。

一位盧姓友人的公公洪慶音老先生八十二歲高齡；背駝得厲害，以為是先天的橐駝，細問之下才知道他因退化性關節炎腰酸背痛二十餘載，找遍醫生、作過鍼炙無數，竟然毫無起色，致無力挺腰直背變成倒L型，我因剛隨大哥那兒學會一套穴道按摩的功夫，正想多一些臨床實驗，於是在經過一陣拍穴手法後，按摩其膽經及膀胱經穴道，歷時約三十分鐘，他起而坐而立，奇蹟出現了，他是挺直的站立著，繼而他向我走來，欲向我跪拜禮謝，我連忙制止說道：「您不用謝我，我不過是將所見所聞付諸實行，以求驗證，那是您自己的福報。」我們大家都太興奮，太感動了。

現在介紹背部運動健康法供大家參考：

(1)靠山功：屬太極拳之功法，即以背部撞牆，同時開聲吐氣之法，記得王永慶先生蠻熱衷此功法。

(2)脊椎拍擊法，讓整個脊柱血脈暢通。

(3)穴道按摩法：

①膽經穴道——以環跳、風市、陽陵泉為主，主治去風寒、溼熱、舒筋活絡。

②膀胱經穴道——委中、承山、崑崙為主。委中配崑崙舒筋、活絡，主治腰酸背疼，太陽經是主理一身之表，運行全身氣血，所以鐵打損傷、取承山是因其有運氣散滯行瘀通絡之功。

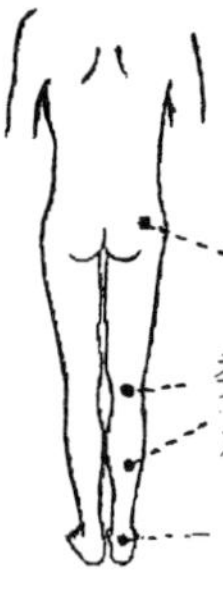

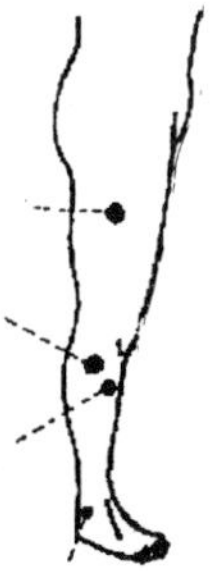

「太倉之疾」

內經：「胃者五穀之府」，人食五穀，由胃受納，所以胃有「太倉」、「水穀之海」之稱，自古醫家認為脾胃是氣血生化之源，內傷脾胃，百病由生，素問：「五臟者，皆稟氣於胃，胃者，五臟之本。」

飲食不節制，疲勞過度，情志失調，皆可損害脾胃元氣，削弱機體的抗病能力，以致罹患胃病。

飲食方面，縱慾口腹，喜食辛酸，生冷，以及喝酒過度，都會造成胃部的損傷，小時候一位鄰居廖伯伯，平日也不酗酒，生活起居正常，竟然嚴重的胃出血，探問之下才知他愛吃橘子，一次總要吃上十個左右，橘子固然可口，但屬性寒，不宜多食，以免貽害無窮。

以前在台中女中唸書時，有位地理名師亦是良師曹漢旗老師，書教得好沒話說，更利用每天放學後一個多鐘頭時間為高三各班輪流複習，他的講義已無冗詞，上課更是風趣而無贅語，同學們看到他清癯的身材與兩個凹陷的眼窩，都情不自禁肅然起敬，總想贏得高分以回報他的辛勞，正因為他如此的體力透支，疲勞過度，以致胃潰瘍動了兩次手術，只剩下三分之一的胃，真是良師難為。

趕時間是上班族與學生們每天第一件緊張的事，接下來趕報表趕業績，或趕作業拼成績，又是另一層面的緊張，由於精神上長期刺激與緊張，輕則懊悵吐酸反胃，重則劇痛頭暈吐血。常見學生因參加聯考過度緊張，以致胃出血住院。

我們對胃部的保健工作，有下列三種方法：

(1)練氣法——胃酸過多、胃潰瘍等症，其功法吐納，呼吸要調整至很小，以減少胃酸之分泌。至於另外的胃腸毛病，如胃下垂、胃脹氣、消化不良等症狀，功法則不同，必須加強丹田的活動，加大吐納之運作，增加胃酸分泌，促進胃腸蠕動，並將胃吊起。

(2)食療方面：忌食辛酸、刺激性強或極冷食物，一切以溫和、少量多餐為主。胃酸過多者，可吃饅頭蘇打餅使酸鹼中和，其他含膠質的食物如山藥、海參、豬腳、川七、百合、白木耳等對胃粘膜有助益。

(3)穴道按摩法：①足三里②梁丘

足三里穴位主治胃脘痛、胃納不佳，有調整腸胃運動與分泌機能，促進代謝，止痛消炎、增強抵抗力的作用。

梁丘為止腹痛泄瀉特效穴，對胃痙攣、胃酸過多有立刻緩解的功效。

另外小孩莫明之腹痛，可手抹萬金油搓熱，按住其肚臍並輕撫之，極其有效。

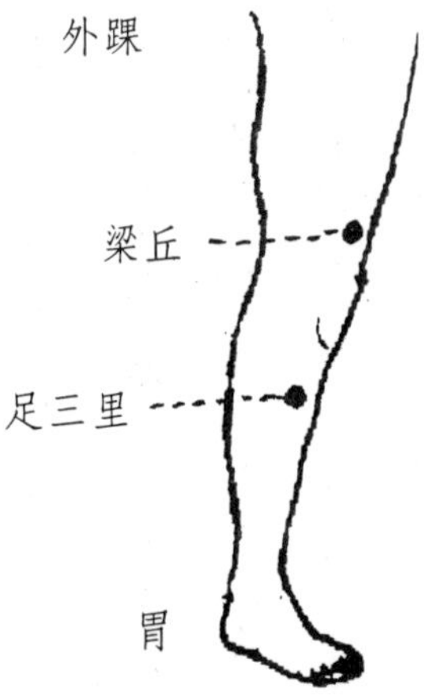

四肢之按摩

上了年紀或因職場關係，手部操勞過度，腿部不得放鬆的人，慢慢會感到四肢漸趨僵化，動作愈來愈不靈活，譬如家庭主婦費勁作刷洗地板、爐台、鍋盆，購物提重的動作，事後又沒做好調理的功夫，久而久之，自然氣血淤積，肌肉筋骨也就硬化不易輕鬆俐落。

工作需要長時間久站的，如教師、店員、工廠作業員等，因腿部承擔整個人體的重量，同時也是足三陽經（胃經、脾經、膀胱經）、足三陰經（腎經、膽經、肝經）的經絡要道因此壓力太大不得舒解時，很多腿疾都會接踵產生。

有關四肢之按摩法如下：

(一)浴手——兩手先合掌擦熱，然後兩手手掌和手背互相用力摩擦，拍擊。兩手四邊，邊和邊互相拍擊，指頭部分則左右手相互交錯，拍擊指縫處。摩擦與拍擊各十次，乃為了合乎天地數，天數五、地數五，合而為十，取之陰陽調和之義。

根據經絡學說，手是手三陰經（肺經、心經、心胞經）、手三陽經（大腸經、小腸經、三焦經），必經之處，故摩擦、拍擊能使經絡暢通，調和手上氣血，同時十指靈敏。

(二)浴臂——右手掌先緊按左手腕裡面，然後用力沿手臂內側向上擦到肩膀，再繞過肩膀，由手臂外側向下擦到手腕外面。往復共擦十次，然後再用左手同上法擦右臂。遇關節處則用環狀摩擦。

臂部有三個重要關節、腕、肘、肩三個關節，正當經絡要道，故稍不適，就會影響全身活動，浴臂功能使關節靈活，通經活絡，防心手病。

㈢浴腿——兩手緊抱左腿大腿根，用力向下擦到足踝，然後擦回大腿根，上下來回擦十次，擦右腿法同上。浴腿功可使關節靈活，腿肌增強，有助防止腿疾。

㈣浴膝——兩手掌心緊按兩膝，先齊向左旋轉十次，後向右旋轉十次，再用雙手拍打雙膝十次。

由於膝關節處多橫紋肌和軟骨韌帶組織，故最忌濕怕冷，若能經常左右揉擦，可增加膝部溫度，驅逐風寒，靈活筋骨，增強膝部功能，有助防止關節炎等難治之症。

㈤搓腳心——兩手搓熱，搓兩腳心各八十一次，腳心，即湧泉穴，是腎經起點，搓此處可導引腎臟虛火下降，並能舒肝明目。

青春之泉

大部分女性都知道修飾自己的門面，做臉孔與肌膚的保養與化妝，卻往往疏忽了由體內散發出的青春氣息，才是保持年輕的不二法門。而青春活力之源，來自內分泌的多寡，尤其是動情激素，隨著年齡的老大，特別是到了更年期時，動情激素分泌減少，會造成陰道萎縮、尿失禁等症狀，所謂陰道的老化，乃指陰道黏膜變薄或變得脆弱，陰道本身的分泌能力降低，因而造成陰道乾燥，性交時會感到疼痛。

其實人體的每一部位都可以鍛鍊，如手部、胸部、腹部、臀部都可經過鍛鍊而益加結實有彈性，因此，針對陰道的老化狀況，現在介紹女性骨盆底肌肉鍛練。此肌肉鍛鍊法亦即似西方女性凱格爾運動，內在的一提一放，縮緊肛門的附近肌肉，包括陰道四周，將肛門和陰道為中心的肌肉，向上向內拉提，這些部位的肌肉就是骨盆底肌肉，當強力收縮時，便能有效地封閉肛門與尿道開口，每一次向上向內拉提約二至十秒，然後再慢慢放鬆，休息一分鐘重複再做，這個運動與我國仙家學術中之「生死竅」提放術不謀而合。「生死竅」在中醫稱為「會陰」穴，於此一提一放，配合其他修持法，可悠游於慾望之河，達至性道極樂之境地。

鍛鍊骨盆底肌肉，能使肌肉變得緊縮有力，強化陰道功能，另外排尿，排便方面都能直接受益。

由於動情激素的分泌減少。使膀胱壁或周圍的肌肉縮小，膀胱容量變小，尿道的括約肌變得鬆弛，出口的緊縮度變差，以致引起尿失禁的症狀，只要讓骨盆底肌肉緊縮有力，自然能防止尿失禁的情況，至於已患尿失禁的情形更須藉此鍛鍊法，減輕乃至痊癒尿失禁的症狀。

同時有些女性朋友，在游泳或泡按摩池過後，容易遭受尿道或陰道感染，勤練凱格爾運動，自能強化增進陰道及尿道的黏膜厚度，即使有些雜菌或細菌侵入，也不易受到感染。

想要擁有青春、健康、快樂的人生，骨盆底肌肉運動，是一項既重要又經濟的法寶，只要勤加練習，自有神奇的功效。

支配女人一生的荷爾蒙

——女性荷爾蒙再造

女人的一生受荷爾蒙分泌的支配，包括月經來潮、乳房發育、性特徵的長成，以及生兒育女之作用等，卵巢分泌的荷爾蒙有兩種，一是動情激素，一是黃體素，尤其是動情激素對乳房發育，陰道黏膜增厚，腦質的發育，平衡體內新陳代謝有一定的功效。荷爾蒙的產生，是受到腦下垂腺的刺激，生殖腺產生生殖細胞，細胞內含多量的無色液體，醫學上稱之為濾泡素，是含有養料的貴重化學物質，如果受到性或意念的刺激，便在卵巢內充液，膨脹而向外發展，由靜脈血中輸出，藉以刺激全身生命之有關器官，由發生情慾而引起生理上的化學作用，主宰著女人一生的健康和幸福。戀愛中的女人眼若秋水皮膚有光澤，所謂愛的滋潤，就是這個道理吧！

欲了解一個人內分泌是否正常，端看她的發育情形，經期的規則性與否，即可知其梗概，有的是先天的關係，或因後天的緣故，某些分泌腺機能失調，使人體生理失去平衡而導致身心的病態。一些承受升學壓力的考生，易患頭痛、頭暈、月經不正常的現象，這都由於緊張、焦慮影響副腎機能的荷爾蒙分泌不正常，使男性荷爾蒙分泌過多。

還有切除卵巢者，與更年期的症狀一樣，呈現衰老樣，記憶力減退、失眠、虛冷、焦慮、陰道乾燥等，沒有冒險的勇氣、活動性降低，——一位寫詩的朋友秀陶，退休後在一家養老院服務，不到三個月就覺得無法忍受那些老人們的自私與刻薄，想來他們就是缺乏荷爾蒙的原因。

有關荷爾蒙的缺乏，我們可由醫生開藥服用，亦可由自然食品藥材中獲得，如蜂王乳，屬天然活性荷爾蒙，含維生素E的食物，可抗衰老，另外月見草，四物湯都可以補充體內的荷爾蒙缺乏。（此於月經失調篇敘

述）

除了食物療法，「靜坐法」更能有效調整內分泌腺的正常活動。人不論在醒覺或睡眠時，大腦總是不停的活動，唯有在靜坐練氣時，大腦能靜定的獲得抑制狀態下的休憩，人體內的機體於此入定的狀態中，將使能量的消耗過程轉向貯藏過程，因而對機體起著修復和建設的作用，如此對先天或後天性的荷爾蒙失調有調整的功效。

另外按摩腎經也是一個好辦法，腎經是使女性易感到快感的性感帶之一，由於性的快感就能導致女性荷爾蒙的分泌較盛，沐浴時，更可藉著浴巾的擦揉刺激，而使生殖器官、及腎臟等諸器官之機能正常化，且能回復內分泌的平衡。

「自在快樂的性高潮」

有很多夫妻發生外遇或婚變，原因之一是「她能讓我銷魂，真正的享受人生得到滿足。」說實在的，一般中國女性在「性道」這方面表現還是趨於含蓄、保守，儘管有些女性主義者大喊：「我要性高潮……。」但根據有關單位調查，幾乎有百分之三十的女性從未享受過所謂性高潮。

其實女性要臻至性的高潮是可以鍛鍊的，我們的目的不是迎合男性，讓他們開心，最主要是能兩性互助互惠，作一個最完美的呈現，讓自已達到性道極樂的境地。人體是一座取之不盡的寶庫，可任由你去採擷並加以鍊就。

成熟的女性在性交過程達到「會陰穴」，所激起快感的反應度，不同於陰蒂及附近性感帶的快感，它是由陰莖進入陰道搓摩產生的快感，位置在陰道前壁右側有兩指節距離的部位，內有兩個或三個小孔穴，這是美國紐澤西洲立大學性學研究者惠普，經由科學實驗，蒐集女性性交後分泌物，及使用儀器在人體刺激所產生的反應，證實女性確有這些小穴。研究之後也肯定女性在真正高潮時，會出現與男性類似的射精反應。

「會陰穴」，男性在生殖器與肛門之中，女性在同一部位叫做「骨盆腔」，人由牝户出生，名為生門，蠓蚋蜉蝣，交尾身死，因此牝户又名死門，會陰穴又稱「生死竅」。欲鍛鍊此穴道附近的部位，骨盆底肌肉運動是強身最重要的運動，此動作方式於「青春之泉」一篇有詳細的敘述，只要勤練不輟，必能念茲在茲，而有所得。

已屆更年期的女性，雖然天癸已無（無月經），作此運動仍然可使卵巢機體繼續發揮它的功能，再分泌女性荷爾蒙，使陰道潤滑，收放自如。

除了骨盆腔底肌肉運動，若能再配合食物療法，更有意想不到的療效，有關抗衰老的食物，包括維他命C、E抗氧化、癌症的蔬果、堅果類外，另有寺廟出家人忌食的五葷，包括蔥、洋蔥、大蒜、韭菜、及一般葷菜。

蔥與洋蔥性能相近，含有蛋白質、脂肪、糖類、胡蘿蔔素，維生素B_1、B_2、C、鈣、鎂、鐵，更含有生理活性物質，具殺菌、增強免疫力、抗癌、降血脂的功效。

大蒜營養成分為蛋白質、脂肪、糖類及維生素A、B_1、C等。與蔥、韭菜同樣含有揮發油，油中成分為大蒜辣素有降血壓的作用。所含鍺的成分，能促進性荷爾蒙。

韭菜，含有硫化物、蛋白質、脂肪、糖類、維生素B、C等，有健胃、提神，為振奮性強壯藥。治男性陽萎、遺精、女性月經病、帶下等症。

其他牛蒡、山藥，皆有強壯滋養的作用。

經過運動，食療的配合，希望大家都能享受自在快樂、陰陽和諧的性生活。

月經失調

月經，這個固定在生理期間會出現的「好朋友」，當她來時，我們是欲迎還懼，怕她影響我們的活動行程，造成諸多不便，可是當她過期不至時，我們又望眼欲穿，滿心焦慮，惟恐一個閃失，又中獎，那麻煩可大了，當氣血運行不暢，或有發炎症狀等，都會影響「好朋友」出現的時間。

月經失調有幾個方法可供參考。

(一)吐納法——因內臟器官，屬交感神經可管轄，不能直接達於大腦，在生理學上謂之不隨意筋，我們可藉腹部呼吸的功用，使橫隔膜上下動作，腹力緊湊，逐出腹部的鬱血，返於心臟；復由心臟逼出鮮血，輸送全身，呼吸功深，增加內臟感覺，使不隨意筋，亦能盡其作用。

(二)穴道按摩法——三陰交、血海、足三里。

脾經上三陰交；是脾經、肝經、腎經三枝脈交會的會穴，有通經、排泄瘀血的作用。血海、古代稱血之海，能消除由血分產生不潔物而引起的瘡瘍，可疏通氣血、通經行瘀。此兩個配穴，可治月經不調。

胃經的合穴「足三里」，有促進代謝、增強抗力、調和經絡氣血的作用。

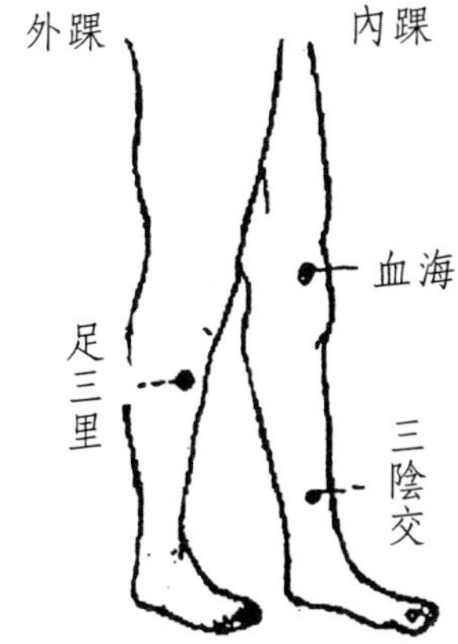

(三)食療——月見草、（含豐富次亞麻油酸是人體必須的脂肪酸，可調節生理機能。）

四物湯：所謂四物即指熟地、

川芎、當歸、芍藥，都是養血益氣的中藥材，它同時具有滋陰防止老化的效果，是女性一生皆可享用的補品。

經痛問題

在學校任職時，三天兩頭，就有女學生因經痛而請假，如此影響生活作息，影響課業，生理期的經痛問題，豈可坐視？

經痛的成因大致是經行前誤食冷物，或外為風寒所侵，平常不注意寒冷，以及緊張、憂鬱過後，都能造成氣滯血凝的痛經。所以當有人因之請假時，我常會對她們作機會教育，主要是飲食療法——

㈠禁食冰冷飲料，以免寒氣侵身，更形血瘀。

㈡食用熱飲——薑茶、桂圓紅棗茶、（有趨寒、調和氣血的功效。）

㈢食用酒釀煮蛋——暖身、滋補血氣。

這些小小偏方確是得到印證，從此班上的女同學，不會再因經痛問題請假而耽誤功課，並且她們覺得那些自然食物挺可口的。食用過後，臉色不再蒼白，行動也能自如，視之為大補帖呢！

扭 傷

(一)手指扭傷

「老師！你不是會點穴嗎？剛剛班長打球吃了蘿蔔干，你能不能幫他治療？」同學們氣喘吁吁地由操場跑回教室，看見我直嚷著，只見班長拇指部位腫脹得厲害，一臉企盼的神情，於是我點頭答應，「老師你可要公開示範哦！」「沒問題。」於是在眾目睽睽之下，我幫他點了手部五穴——外關、陽池、中渚、后谿、合谷。大約五分鐘，班長拇指的腫脹、疼痛完全消除，我想是把握機先的緣故，所以能復原如此之迅速，讓我有「點石成金」的喜悅。上課鐘響了，他們依依不捨的送我走出教室。以後上他們班的課時，竟一改以前不守規矩愛吵鬧的習性，表現得溫文有禮，許是當老師的，還真需要有兩把刷子，更能讓學生信服。

圖示：手部五穴——

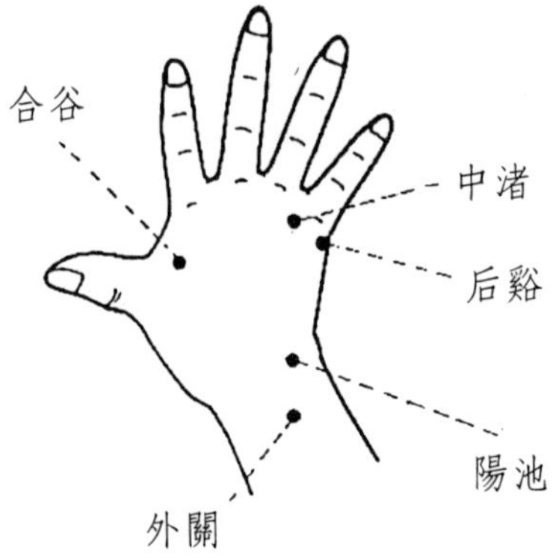

㈡落枕

常見有人在頸部貼塊藥膏，八成又是落枕了，頸項之際無法俯仰自如，扭到脖子，不是大病，只是其左右轉動的功能不靈光了，似乎被點了穴道般，無法自由伸展，通常落枕主要原因是睡姿不良、睡眠不足引起，或是身體虛弱，以及勞動過度造成的。

為了維護頸部的健康，頸部也需作運動，於每日睡前和起床時輕輕旋轉，左右各兩遍，再用左手拍打右頸側，右手拍打左頸側，輪流拍打約數十下，頸椎部分則用手心搓摩二十下，使之發熱即可。

至於落枕時，可引氣至患病之處，行氣時，有痛麻的感覺即是。穴道按摩點，則是落枕穴，如圖示：

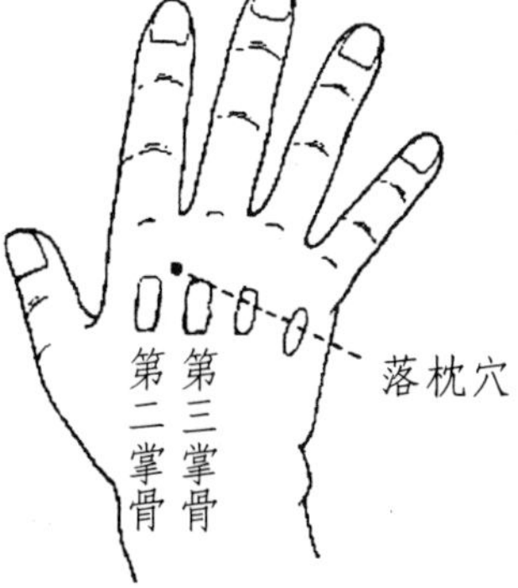

㈢腳踝扭傷

台北市的人行步道全面改建，實在是一項德政，除了整齊美觀外，扭到腳的機率也減少了，以前走在坎坷不平的紅磚步道上，真的是步步為營，深恐稍不留意就會拐到腳。腳踝扭傷除了外界因素，其他如突然跳躍、跑步常會發生這種現象。

為了避免腳踝扭傷，運動前的暖身運動非常重要，先做單腳的扭轉運動，再換腳。做幾下踮腳尖運動，讓腳部更靈活。

萬一扭傷腳踝時，或稍覺不適，就得馬上停止運動，調適到毫無阻礙不可，穴位的按摩法分外踝與內踝兩種。

(1)外踝扭傷——穴位點是陽陵泉、足三星、崑崙、丘墟。

(2)內踝扭傷——穴位點是商丘及太溪兩穴。

如圖示

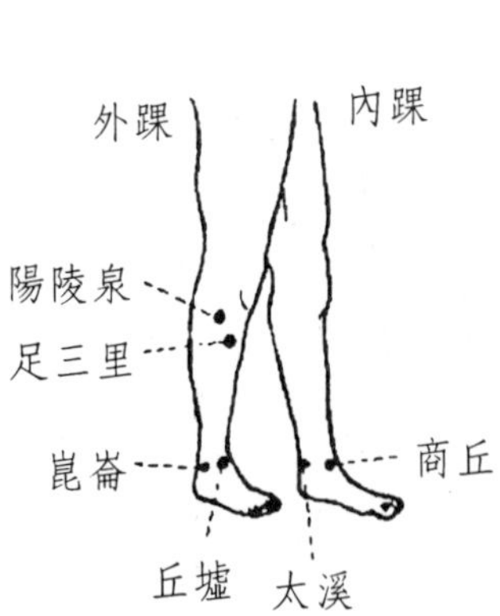

金津玉液

人的智慧需要開發，同樣的，身體的資源也需不斷發掘，人體是一座寶庫，要善自珍惜，並使它發光發亮。

就以口水，即人的唾液言之，咱們視吞嚥口水為理所當然；殊不知口水經過簡易的再製後，便可成為所謂的「金津玉液」，是身體免疫系統的強化劑，因為經醫學研究已證實口水含有胺基酸、酵醇素，維他命B及多種礦物質等有益人體的成分，並且有消炎、解毒、助消化及潤肌減肥多項功能。

有一次上課時發現教室後面的走道上點點滴滴的，詢問之下，才知道有些頑皮的學生，學著威鯨噴水，比賽自己的威力，噴得滿地唾液。我趕緊將口水對我們人體的好處告知他們，不要隨便蹧踏自己的資源，有個學生說：「老師，您早講就好了，害我損失可大喲！」實在令我啼笑皆非。

有時，我們會覺得口乾舌燥，屆此，可將舌頭在口內左右滑動廾次，自然產生口水，因舌下正中繫帶兩側靜脈上有兩個穴道金津在左，玉液在右，可分泌口水，治療口乾舌燥，然後將舌尖抵住上顎三分鐘，即可滿口生津，繼之鼓漱二三十次，再分三口咽下，如食甘露，不僅口氣變好，而且養顏美容，使膚色紅潤。當牙痛時，更可利用此甘露消炎止痛。

根據醫學研究，長期服用治療高血壓、心臟病、糖尿病、精神病等疾病藥物的人，最容易導致唾液分泌的減少，嚴重的會患上乾口症。而唾液分泌減少，極易使齒頸部產生蛀牙，口腔黏膜也較易疼痛。

每個人都有取之不盡，用之不竭的津液，不過多了一點再製的功法，就能成為金津玉液，價值非凡，所以關心自己，就得細心養餵自己，欲速則不達，唯有慢慢調製，才能得到成果。

夜半失眠時

沒嘗過失眠滋味的人，實在是天之驕子，很多人都有類似的經驗——明明疲憊不堪，哈欠連連，只是上床躺了半天，腦子卻還是清醒的，輾轉反側，甚至徹夜難眠。

朋友小文因先生有一陣子常往外地跑，在家中也電話講個不停，覺得事有蹊蹺，經他查詢通聯記錄後，確知大多屬同一個號碼，與師問罪之後，先生坦承是逢場作戲，並發誓永不再犯，小文經此折磨、打擊、鬧得心神不寧；且思慮過度。患了嚴重失眠，即使睡著了，也容易驚醒，而憂心不安，看著小文身子瘦了一圈，且神情憔悴，於是我告訴她可煮桂圓蓮子吃，這兩種食物都能養心寧神，尤其龍眼肉能治怔忡，有寧神熟寐的功效。

另外，為了排除精神的壓力，困擾所形成失序的夢魘，就要做到放鬆自己，包括肌肉、神經與精神，並且轉移心中注意的焦點，集中精神於某一點，俾有助於安眠的效果。於此我提供了三種簡易之自我催眠法，供她作參考。

㈠放鬆法——我們知道「熱」有放鬆身心的效果，讓身子平躺床上，閉上雙眼，揣想熱氣浴身，循著頭部、臉部、頸部、肩膀、再移往右手、左手、身軀、下移至右大腿、小腿、足部，左大腿、小腿、足部，冥想自己處在一個很舒適、柔軟且溫暖的環境，讓身心完全放鬆，如此就容易進入睡眠狀態。

㈡調息法——作腹部呼吸，吐納一升一降之際，將注意力集中於臍下（丹田）部位，不在意氣息從鼻孔出入。因為呼吸是「節奏性」的活動，會使大腦皮層，亦即中樞神經系統，在極度興奮過程下得到抑制過程的協調，能產生神奇的功效，使心意專注於重心之一點，安定我們的神經，自然容易入睡。

㈢持咒法——就自己信仰的宗教，默念其神主名號，如「主耶穌基督」、「真主阿拉」、「阿彌陀佛」……等，因為是自己崇信的神主、更可虔誠的全神貫注，達到精神統一，心無旁騖的進入夢鄉。

一星期過後，見到小文精神好了大半，問她怎麼辦到的，她說：「我是以吐納法配合自己膜拜的「觀世音菩薩」，每次默念，幾乎不到廾次就渾然入夢，能睡覺，實在是福氣，天賜神恩！」「難道，你相信先生不再重蹈覆轍？」我忍不住發問，「我好不容易走出失眠的陰霾，養了一些元氣，我不想再折騰自己了。」所以當我們遇到繁瑣俗務時，更需要養足精神去面對，「睡了再說」，是最灑脫、明智的決定。

膀胱炎與尿道炎

下課鐘響了，李老師走進辦公室，以熱飲機倒了一杯水，「哦，太燙了，下節課上完再喝吧！」心裡想著反正不是太口渴，再忍一節吧，第二節下課，又有學生來問問題，專心的為學生解決了問題，上課鐘又響了，這回可是忘記喝水，就匆匆上課去了，水喝得少，同樣的尿也憋得緊，一天上課八九個小時，竟然只上了兩次廁所，直到有一天李老師發現尿液中帶血，情急之下看了醫生，才知道自己患了急性膀胱炎，於是打針拿藥，大夫開了十天份的藥，說如果不治好，往往會轉變為慢性膀胱炎，就更難治了。

膀胱炎患者女性較男性多，因為女性的尿道比男性短，又靠近肛門。

有位同事患了膀胱炎，原因是解大便後用紙擦拭時，由後往前擦，一不小心大腸菌就容易侵入尿道，所以如廁後，衛生紙一定要由尿道口開始向後擦拭，這是一種基本的衛生習慣。

患膀胱炎時，小便後尚有殘尿感，與尿道炎一樣，排尿時有燒灼似的疼痛或刺痛，而且小便頻繁，苦不堪言。

我曾經患了尿道炎，小便呈黃色，且刺痛異常，排尿雖頻繁，但每次尿量又極少，於是我想只要吃些利尿消炎的蔬果一定對症狀有功效，所以除了多喝水外，水果以西瓜、椰子最能消熱利尿，再煮鍋蘿蔔湯、涼拌黃瓜，利水、解毒又消炎。

至於經絡按摩，沿著腎經線，由下而上用姆指強力的指壓作點的刺激五次以上。

穴位點則著重在三陰交與陰陵泉兩個穴位。如圖示

三陰交與陰陵泉皆有清熱利水的功用，尤其陰陵泉是脾經合穴，和膀

胱及腎臟有相互的關係，能泄水液，利通小便有消炎作用，配合胃經之足三里更有強效。

那個下午經我穴位按摩及攝食大量水分後，小睡片刻，如廁即不再刺痛，至夜晚即完全恢復正常，真是天佑我也。

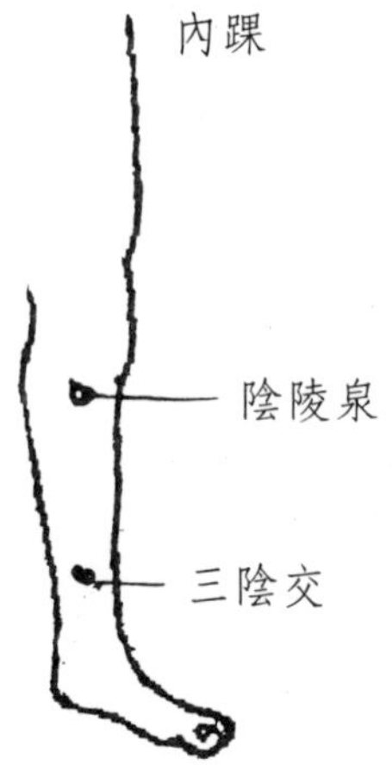

十人九痔

一個朋友說她坐月子時，用了一盒粉光參燉雞，結果治癒了瀉肚子的症狀，卻造成便祕、便血，經過檢查結果是長了痔瘡，被排出的硬便擦破，引起出血、痛苦不堪，如同收之桑榆、失之東隅。一般人總會利用坐月子時將虛弱的身子補養好，以致於食用過多補品，忽略了飲食均衡性，形成體熱便祕，宿便毒素感染，使大腸感染引起痔瘡產生。

我想起母親的私房療法，只要到西藥房買一瓶煤溜油酚肥皂溶液，它是一種外用消毒水，加熱水浸泡，比例是二比一百，於早晨如廁後及晚間沐浴時各浸泡五分鐘左右，浸泡時可用手指按揉痔瘡以及肛門周遭部位，幾天即可恢復正常，朋友於是如法泡製，很快就有療效，終於免去動手術的痛苦與煩惱。

除了便祕的因素，長時久坐的人，因肛門部位血液淤積，血行不暢亦容易染患痔瘡，其他如喝酒過度，過食辛辣刺激物或炸炒之物，如內經所說：「因而飽食，筋脈橫解，腸澼為痔。」

肛門生瘡，有如茸狀突出，名為痔，生於肛門之外為外痔，生於肛門之內為內痔，嚴重時有出血、腫痛、潰爛、坐立難安之痛楚，為了減輕痔疾，首先要防止便祕的發生，除了腹部鼓盪動作外，宜多食蔬果，及潤腸清熱的食物，黑芝蔴粉加蜂蜜，沖開水於睡前服下，有潤燥、利大、小腸、治便祕的功效，木耳有驅除腸熱及止血的功能，飯後喝杯茶，具消毒與降火之功能。

另外坐馬桶時間不宜太久，以免肛門淤血，痔瘡容易惡化。

至於治療痔疾的穴道按摩有三個穴位：奇穴二白、督脈長強、以及膀胱經承山。（如附圖）

二白：位於心包經大陵直上四寸處，點按時感覺放射到肛門，有清除腫癢及止痛之功效。

長強：跪伏，取尾骨端下三分處即是，具有收縮肛門括約肌的作用機制。

承山：有清腸疏熱之功，因膀胱經有一支別脈，走入肛門，所以可治痔瘡。

我們在進行煤溜油酚肥皂溶液浸泡時，可作上述三個穴位按摩，必能解除痔疾的夢魘。

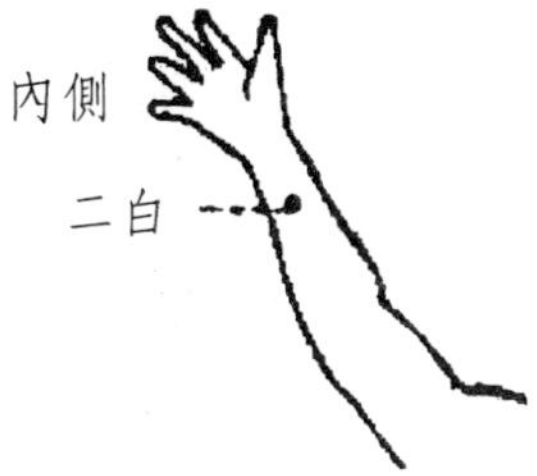

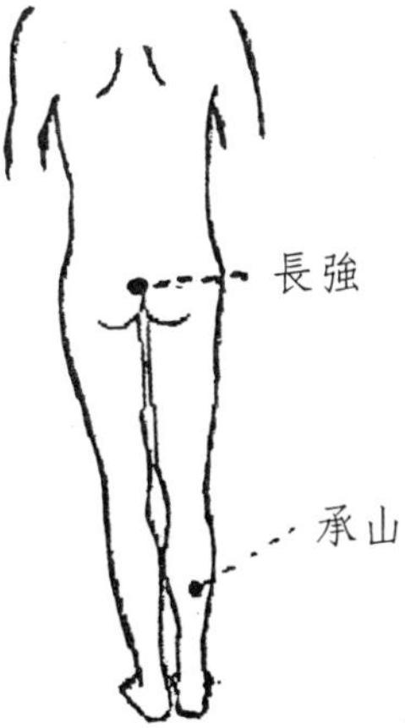

富貴手與香港腳

㈠富貴手

有一回在麵食店吃炒麵，老闆娘很親切，就跟她閒聊起來，「你洗、切、煮都沒戴手套，難道不怕手太粗糙，容易得富貴手？」我疑問著，她攤攤雙手說：「我戴手套做事反而不方便，其實沒開店以前我真有一雙富貴手，我可是護之如命，不敢輕舉妄動；沒想到開店以後，整天在油中打滾，這雙富貴手，竟然不治而癒。」

很多家庭主婦常常得一雙「富貴手」，它的學名叫「乾行進行性掌蹠硬化症」，一般稱之「主婦濕疹」，因為家庭主婦操作家務時，難免接觸到鹼性的清潔劑，特殊體質的人，皮膚不易恢復原來的酸性，而產生角質化的病變，大部分從操作慣用的右手食指或中指指腹開始乾燥、角質化，嚴重的，甚至龜裂出血，手指難以伸直。

「富貴手」會讓我們想到一種樹——柏千層，它的皮層會自然的脱落，你忍心替它剝皮嗎？可是刺骨椎心之痛啊！富貴手沒有細菌作怪，故不會傳染，只要能細心、耐心保養，一定會痊癒。

當我們發現富貴手症狀初起時，就要開始保養，以免其繼續延伸，最好能戴手套作家事，現在流行手扒雞用的輕便型透明手套，因為寬鬆、可透氣、不出汗，故較不會傷害手。做完家事立刻將手洗淨擦乾，使用嬰兒油或橄欖油塗在手上，使皮膚形成一層脂肪膜。同時要記住，必須時時滋潤它，不要讓它有乾癟的感覺，這種方法，兩星期即可治癒。

㈡香港腳

兒子服兵役時，在新兵訓練中心染上了香港腳，原來中心衣襪統一送洗，炎炎暑熱，包得緊緊的腳丫，加上出操汗溼，腳趾腳底更變成了香港腳黴菌繁殖的溫床，因為它會傳染，所以幾乎當兵的都會染上。香港腳的原兇是白癬菌，學名為「足癬」。

訓練中心辦懇親會時，趕緊給兒子送盒藥膏止癢，並帶一罐痱子粉，讓他放到襪子裡，以保持足部乾燥，兒子症狀是足趾間起劇癢小泡，搔破會淌水。更嚴重的有紅腫疼痛、皮破血流——。因為症狀比較輕微，所以後來將其鞋襪全部汰舊換新、除非必要，否則換穿涼鞋，沐浴過後，足部宜用吹風機吹乾，不要穿用別人的拖鞋，同時不赤足在公共場所的地板行走，一切以保持足部乾爽通風，避免受到感染為宜，鞋襪清洗後以日光曝晒殺菌力較強。

如此，兒子的香港腳就沒再患。

二紅二黑一紫一白

護膚

台灣進入ＷＴＯ後，米酒因加稅的緣故，價格將由廿一元調張至一百三十元，全國民眾瘋狂搶購，大部分廠商屯積惜售，玻璃瓶裝早不見蹤影，相關單位因應措施，以保特瓶裝替代，此并裝的期限只有一年，許多人不甚了解為何保特并無法久存，原因在於它的塑膠材質，在空氣中易遭氧化變質，釋放出的元素，氣體會污染容器內的米酒。

同樣的道理，覆蓋著我們人體的皮膚，容易受到日光、酸雨、廢氣、毒素的侵害，想要保健我們的皮膚，勿使之曝晒太長時間，以免受傷、衰老，年輕人再生能力強，皮膚氧化之後，容易恢復、補救，隨著年齡的增長、皮膚細胞再生能力愈來愈緩，其皮脂腺、汗線、毛囊和角質層都逐漸萎縮，並且由於真皮內的彈性蛋白變性而失去彈性，脂肪和水份也隨之減少，使皮膚乾燥失去光澤。

我們如何保健皮膚呢？大家都知道睡眠是養顏美容的聖品，當一個人幾天睡不好覺時，必定形容枯槁、失血病態，所以睡眠是美容第一要件。根據醫學報導，維生素E、C、碘、銅、硒等物質都與皮膚的健康有直接的關係。

家母以往常因臉上毛孔粗大為憾，後來以蜂王乳塗臉，晚年時皮膚細緻如同嬰兒。峰王乳是活性天然荷爾蒙，含有豐富維生素E等，故皮膚粗糙者，可使用蜂王乳十蜂蜜按摩臉部，約十分鐘清洗之，一週即可見到一張細緻光澤的臉蛋。

至於容易長青春痘的朋友，有一個既經濟又簡單的妙方，即是抹蛋白，用蛋白洗臉，洗淨後，於患處抹蛋白，具消炎作用，並形成保護膜，戰痘效果甚佳。

皮膚會隨著全身的衰老而衰老，所以除了注意皮膚的局部性保養外，還要採用全身性抗衰老措施。如：

(1)作全身按摩，使皮膚靈活有彈性。

(2)練習吐納，增加血液循環，延遲皺紋出現。

(3)注意飲食衛生，飲食應多樣化，並多吃蔬菜和水果，才能供應足夠皮膚所需的維生素和微量元素。保持體重的穩定，忽胖忽瘦均會促進皮膚的衰老和皺紋的發生。

消除顏面小皺紋

愛美的女性往往為了保持顏面的平靜，不敢開懷大笑，失去感受外界事物的自然情緒反應，抑制情緒對生理造成的負面影響，遠遠大於一點細紋的衝擊，因為心情快樂，大笑幾聲，有助於加速面部的血流供應和營養代謝，讓臉部更有朝氣，不像一尊石膏美人而已。

我們的皮膚細胞隨著成長期到來就不再增加，這時如果保養不好、新陳代謝減弱，神經緊張，就會降低真皮的脂肪和水份，以致表皮之表面上形成溝狀條紋，我們的神經有許多集中在臉部，當神經緊張，心情不舒暢時，肌膚表面的末端神經受到刺激，會加速肌膚老化、疲勞，促成皺紋產生。

欲消除顏面小皺紋，我們可在臉部容易長皺紋的地方如額頭、兩眉之間、眼角、外眼角、眼下、嘴邊，塗上潤膚保養品。擦抹保養品時，可配合按摩法來整肌，按摩方式如下：

㈠展開式——利用掌上魚際肌的力量，以前額部開始，由中間向兩側摩擦數次，再由近鼻翼兩側向後平擦數次，繼而由鼻翼下方至上唇處，從上而下摩擦數次，最後從嘴角劃弧形至下巴處。

㈡劃圈式——以雙手之中指食指，由印堂開始分向兩邊，順著眉毛上方擦至外眼角、眼下、內眼角、回到印堂處，這是第一個圈，第二圈由兩眼角之際開始，沿鼻子雙側至鼻翼處劃圈，再由鼻翼處，沿著嘴唇兩側至下巴處劃第三個圈，如此三圈可順向、逆向輪流交錯按摩。

㈢穴點揉按式——眼眶四周的穴道、攢竹、睛明、瞳子髎、光明、陽白等：如圖示。這些穴道有通竅、除皺的功效，配合呼吸來使揉按的動作，吐氣時按壓穴道，吸氣時鬆手。六次即可。若有「眼瞼下垂」現象者，睛明、光明是治療它的重要穴位，可恢復眼皮的彈性。常看一些眼瞼下垂的人，因要撐起眼皮，抬頭紋愈見深沈。

另外眼下若鬆弛或有小皺紋，會呈現薄黑色，這是因為末梢神經淤血所呈現的血色素，所以眼下的刺激，能使淤血部分緊縮，達到去除血色素的效果。可配合臉部肝經按摩。（如圖示）

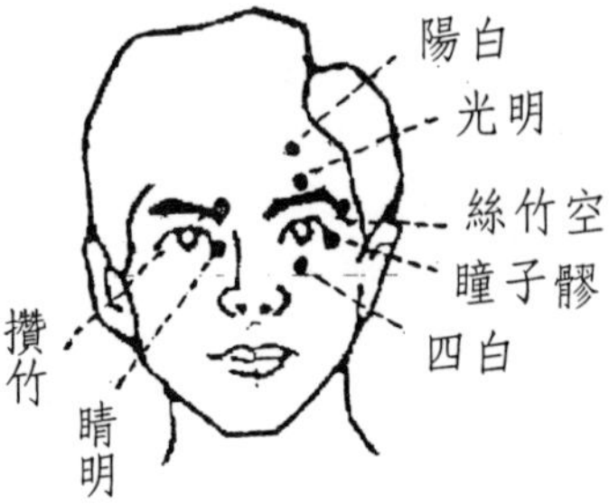

臉部肝經

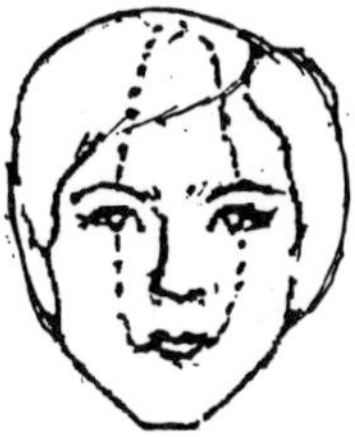

沐浴養生法

沐浴乃一大事，中國北方因天寒，且水源不足，平日不事洗澡，只局部淨臉、手、腳，史記記載：「湯沐浴日」，即指巡假，也就是十日洗一次澡。「沐」指用熱水洗頭，「浴」是用熱水洗身，其他則於朝廷大典或宗教儀式時方才齋戒沐浴。

我們現代人都知道沐浴可促進血液循環，幫助新陳代謝，故每天洗一次澡，是最起碼的衛生習慣，如果能在早起時，再做一次沐浴，身心當更為舒暢。

已故中醫學會理事長陳立夫先生，生前極其重視養生之道，沐浴可是其人生一大要事，他利用沐浴時，做全身穴道、關節之按摩，每一關節和重要之穴道按摩一百次，做一次沐浴，總要花費一個鐘頭以上，他經常氣色紅潤，享壽一百零二歲。

市面上販售之檜木桶，確是蠻理想的泡澡桶，它富有天然的檜木氣味，頗宜人，而且具保溫功能。如果不方便泡澡時，只要一個小木桶作泡腳用，洗完澡後，用熱水泡腳，將腳趾掰開來按摩，並於足心湧泉穴處多按壓片刻，保證給你一個甜美的睡眠。

另外可依照個人的喜好與需求，一星期做一、兩次的花浴或檸檬澡。尤其是檸檬浸泡全身會讓你有意想不到的效果，作法很簡單，將檸檬七、八個切開，放進七分滿熱水的浴缸中即可，旁邊擺一杯檸檬汁可供飲用，溫熱的水，釋放全身的細胞，在瀰漫檸檬獨特的香氣氛圍中，你似乎從很遙遠的、晦暗的、被遺忘的國度裡慢慢被找回來，而那些軟性的、甜美的、喜悅的情欲漸漸充盈你的心靈……，然後你肯定自己是一個魅力十足的女人。

由於檸檬含精油成分，有相當好的潤膚效果，一層油質使肌膚得到很大的滋潤，防皺功效特佳，我們的頸項是最容易看出一個人衰老的部位，若能常以這天然的果實來保養皮膚，自是勝過其他昂貴的保養品。

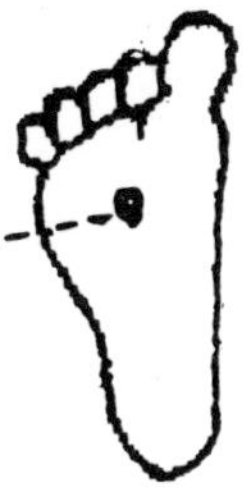

愛眉

目上毛曰眉，橫列於兩眼之外上方，它的作用是阻擋汗液及塵埃侵入眼內，這些年來紋眉的風氣鼎盛，注意美容的效果，而忽略它附屬於視覺器官上的功能。

隨著工商發達，一切講求快節奏，古時候傳頌的「畫眉之樂」，已消聲匿跡，取而代之的是紋眉開運、改變原來的形狀與色澤濃淡，讓自己看起來清爽宜人，好運也隨之而來。

額骨下緣的兩眉自然露出人類意志與情性之景況，以形態來說，眼長眉秀是好相貌，新月眉富感性但欠行動力。山峰眉即三角眉，精力充沛、意志堅定。高低眉生性多疑，本位意識重。一字眉有魄力但自以為是。

眉毛太粗糙的人，心思過勞，且粗枝大葉，不注意涵養，眼大眉粗者可見一般，眉毛太纖細的較富感性，但過於柔弱無主見，至於髮黑無眉則不宜。

眉毛的顏色與情感的厚薄相同，濃黑的眉往往有一顆熱情的心，且富有活力、衝勁。太淡薄的眉毛，情意也較淡薄，熱心不足。眉毛色澤最好能與臉部、髮色相稱，最為正常。

兩眉之間的距離約二指寬度為當，「眉間紋」，不只是走過歲月的痕跡，更是身心環境的顯象，所謂「相由心生」，外觀與內心狀況呈現一致的反應，試看紅樓夢一書對林黛玉的素描「兩彎似蹙非蹙籠煙眉，一雙似喜非喜含情目，態生兩靨之愁，矯襲一身之病……」由於黛玉多愁善感遇事悲觀的性格，經常皺著眉頭，也造成後來疾病纏身的根源。

愛美的女性，如果對自己的眉毛長相不甚滿意時，盡可於其形態、疏密、長短、濃淡各方面加工修補一番，紋眉或畫眉，都可讓自己覺得賞心悅目，也較能心想事成，外觀如此，內心的建設尤其重要，誰都不願看見鎖眉不展的樣子，多想些快樂的事情，優美的東西，開闊自己的胸襟，平撫內心情緒的起伏，方才能摒除起皺的眉頭，且讓祇有翅翼而無身軀的鳥，在歡笑中不斷飛翔（眉飛色舞）。

人年老時眉有毫毛秀出，故稱人老壽曰「眉壽」，詩經豳風七月有載：「為此春酒，以介眉壽」，介是祝賀之意，所以眉毛有諸多實質的意義，可要善加愛護呀！

溫泉

寒冬之際，在山林之中隱約看見熱氣升騰，觸動心窩的一種渴望油然而生，溫泉誘人的地方，除了溫暖我們的身心，促進血液循環、有益新陳代謝的作用，更因唐代詩人白居易所寫長恨歌詩句：「春寒賜浴華清地，溫泉水滑洗凝脂，侍兒扶起嬌無力，始是新承恩澤時……」。讓人增添遐思無限。

溫泉的水質以含碳酸成分者具有美容，治神經痛的效果，台北近郊的烏來、陽明山，旖旎的風景中，不斷湧現的泉，在深林、在溪谷、一路上，，楓葉鼓起胸中熱情的火焰向你招手。

浸泡溫泉，讓整個身子迴繞在重重暖流中，各個管口噴射出按摩作用的水柱，有如千手的擁抱，由外而內，也由內而外，喚醒沈寂的細胞，我的肌膚亦一吋吋的與溫泉相溶，釋放了身體，釋放了靈魂。

我們的溫泉區ＳＰＡ，在蒸氣室內大都置有沐浴鹽，用鹽抹擦皮膚的效果是讓皮膚表面的水分含鹽度增多，以便把水吸出，收斂皮膚，收到美容效果，其他如關節的硬皮也可因此而變為柔軟。

經過高溫的放鬆後，再進入溫度較低的泉水中降溫，使開放的毛細孔得到緊縮作用，如此冷熱輪流交替浸泡之後，肌膚一放一收，更有彈性活力。

泡過溫泉的人皮膚會覺得光澤潤滑，面帶紅暈，如同戀愛中的人，不要錯過跟自己身子對話的時間，有多少細胞因沈寂鬱悶而自閉，唯有敲開每個細胞的門，它們才會甦醒生動，重享快樂的心跳。

溫泉英文名稱是ＷＯＲＭ、ＳＰＲＩＮＧ，真正享受泡溫泉的樂趣，「溫泉」就不只是泉水而已。含有礦物質的熱溫泉，具有治療酸痛、皮膚病以及美容的效果，寒冬之際，不知你的心靈深處是否升起溫泉般的熱情？

青絲自在

黑色絲緞般亮麗的秀髮，會給人一種「夜」的連想，然而隨著年齡的增長，「君不見高堂明鏡悲白髮，朝如青絲暮成雪。」（李白將進酒），又有「夜深搔首歎飛蓬」的感概。白髮與蓬草般的乾燥以及掉髮是頭髮老化的三大現象。

頭髮老化的原因，主要是上了年紀後，血液循環隨之變差，營養份無法送至頭髮根部，以致於新長成的頭髮趕不及掉落的數量和速度，我們頭髮的數量約為十萬根左右，以一天平均五十～一百根左右進行新陳代謝，年輕時長出的頭髮和脫落的頭髮剛好成平衡，年紀大了以後，生成的少，代謝的多，頭髮愈來愈少，且失去光澤。白頭髮則是因為毛皮質裡所含有的麥拉檸色素之生成，到了髮根部就減少，或停止，而形成的模樣。

為了保持頭髮的健康，早晚梳理的動作不可或缺，一般人對晨起梳髮較為重視，晚間則常會疏忽，其實在外間活動的人，接觸空氣中飄落的塵埃、細菌，大氣中的污染都會黏附在頭髮上，影響健康。梳理頭髮時，可將頭垂下，從頸背髮際逆向梳理，即反過來向上梳，約一百次左右。再梳回原來的髮型即可。梳髮具有活血、去污的作用。

另外有三點保健方法，可供參考——

㈠食療：宜多攝取維他命Ａ，及Ｂ群的海藻類食品，與良質蛋白質，包括魚、肉、蛋、牛奶、乳製品等，使秀髮烏黑亮麗，至於芝麻、核桃、何首烏則是中醫界公認的烏髮食品。

㈡吐納法：將氣引至頭部百會穴，再呼氣降下，連續作十次左右，如此一呼一吸之際，可以促進血液循環，讓養分能運送到頭髮根部，使頭髮的成長趕上掉髮的數量和速度。

㈢穴位按摩法：

⑴百會——位於頭心，即兩耳尖直上的連線與頭頂中線的交點。

⑵印堂——在兩眉頭之中央。

由印堂經百會至顱後連成一線作督脈上的按揉。

⑶陽白——眉上一寸，與瞳子直對。

⑷腦空——後髮際上二寸五分。

由兩側陽白入髮際至腦空作側頭部膽經上的按揉可收舒筋活血、頭痛及護髮之效。

按摩過後，還可在各部位作敲拍的動作，使自己更加容光煥發。

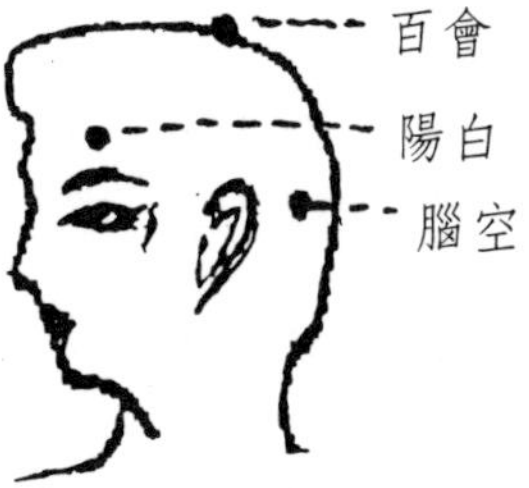

消除腹部鬆弛

腹部凸出是影響女性曲線美的一大憾事，很多人會認為自己的食量跟以前沒有兩樣，怎麼就會發胖，而且都堆積到腹部，令人發糗。其實，人到中年，身體基礎代謝降低，不容易將體內的脂肪轉換成熱量消耗掉，脂肪大多貯存於內臟，及少運動到的部位，因此腹腔內蓄積的脂肪造成腹部的肥大，除了影響美觀外，更是造成高血壓、高脂血、糖尿病的主因。

我們每天需要的熱量，大約是體重乘以三〇，即五十公斤體重的人，每天所需的熱量，大約一千五百卡路里上下，這可衡量自己的體能消耗而有所增減。健康的祕訣是「細嚼慢嚥，吃得八分飽。」寧可意猶未盡，勝之滿脹難受，尤其年紀愈大，清閒的時間愈多，宜想想看平日安排作息是靜態的聊天喝下午茶，或是作伸展筋骨的活動，它們關係著是否日益發福的體態。

所以在飲食方面，要意識到勞動量漸少，與新陳代謝變緩，自然於食物的攝取也應減少。其他慢跑、步行都是很好的運動，既可抗地心引力又可消耗熱量，只要連續運動三十分鐘以後，就能燃燒脂肪，達到減肥的效果。

另外列舉三個針對腹部的運動可作參考——

㈠作扭腰運動，即身體左右扭動，並用雙手搓揉胃部。

㈡作腹部鼓盪運動——即一收一放的動作，飯後一小時後作之，能刺激腹部胃腸機能，加速新陳代謝作用，幫助消化，並讓腹部肌肉結實富彈性。如廁前作此運動，無論對排便或排尿都有助益，要知道，宿便除了增加我們的體重外，更容易造成細菌的感染。

㈢按摩胃經線的穴道——

(1)足三星(2)豐隆(3)解谿(4)內庭

刺激胃經上的穴道，得以調整胃腸運動與分泌機能，收到促進

消化之功效。

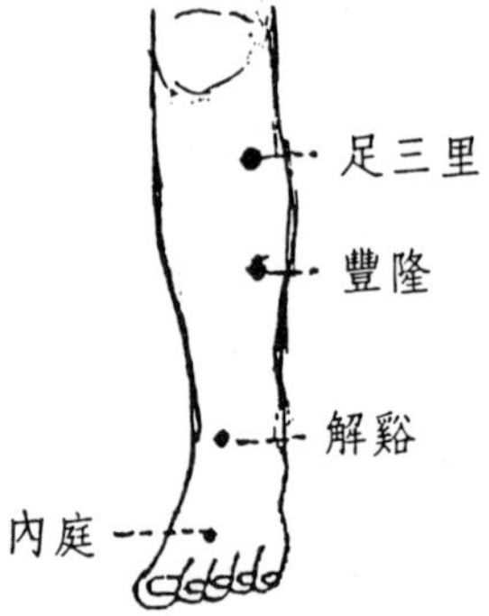

戰痘首策

「只要青春不要痘」，惱人的粉刺卻往往盤據青春的臉龐，成為青春的夢魘，年輕人長青春痘主要是荷爾蒙分泌失常的緣故，由於內分泌機能異常使荷爾蒙不易平衡，因而容易生青春痘。

油性皮膚的人，由於肌膚的油脂分泌過多，如果不常洗臉保持顏面清潔的話，皮膚表面皮脂分泌腺之孔穴，受不潔之物或化妝品所阻塞，漸漸形成一粒粒的粉刺，如果受到細菌感染的話，常會使痘子化膿，更趨惡化。

所以油性皮膚的人只要能使分泌腺暢通，保持臉部的清潔，也就不易長痘子，清潔臉上肌膚可先用洗面霜清除油污，再用洗面皂或無刺激性的藥皂和水加以洗淨。

初起的粉刺，我們可用蛋白塗抹，有消炎作用，並形成一個保護膜，毛孔不易擴張，細菌亦不易感染，很快就會消失掉。若已長成黃色膿頭時，切忌用手擠壓，可貼上白色膠布、撕起時自會除去，如未化膿，則不可硬擠，以免留下疤痕。

飲食方面宜多吃蔬菜、水果，尤其是柑橘、檸檬、香蕉，對於甜食及含有動物性脂肪的食物儘量少吃，此外花生、巧克力、蛋糕必須禁止食用，臨睡前喝杯蜂蜜，有助於防止便祕，可將體內毒素排除。

穴道按摩方面，以胃經的足三里、搭配大腸經的曲池兩穴為主——如圖示——

足三里有調整胃腸運動與分泌機能的作用。

曲池對內臟器官有強壯作用，又為全身性皮膚病及預防皮膚化膿性的重要穴位，故按摩此二穴，有促進消化新陳代謝的機能及保健作用，而人體皮脂異常分泌的原因是由於消化器官機能低下的緣故，所以配合吐納法，呼氣時止壓五秒鐘，計止壓五次，早晚各作一回合，自能防止青春痘化膿，即使是油性皮膚的人，也不容易再生痘子。

另外靜坐鍊氣法，在吐納之間，人體內的機體得以入定，因而對機體有修復和建設的作用，如此對先天或後天性的荷爾蒙失調有調整的功效，而青春期的女性由於有關生殖器之機能變調妨害了女性荷爾蒙的分泌，造成男性荷爾蒙過多的現象，就容易生青春痘，此外精神過度緊張也會造成副腎機能的荷爾蒙分泌不正常，故以吐納法來促進內分泌機能的正常，可謂為戰痘首策。

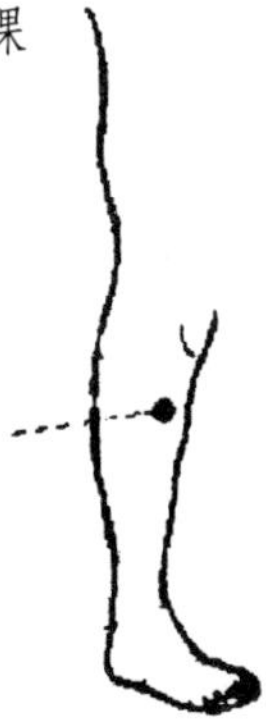

瘦身

肥胖與飲食習慣關係密切，歐美各國的中老年人胖者居多，以德國為例，他們的主食是豬腳、香腸、起士、炸薯條，再喝兩罐啤酒，這些多脂肪高熱量的食物，加上飯後蛋糕、巧克力甜點，（德國的甜點世界聞名），怎能不讓他們的體重節節上升？站在他們旁邊，忽然覺得自己多麼嬌小可愛喲。同樣的美國速食如起士堡、炸雞、可樂等食物，使他們身陷肥胖不復之境，根據統計美國去年約有三十萬人因肥胖症死亡，故政府當局成立了一個減肥計畫中心，希望幫助胖者瘦身，以恢復健康。

如何幫助胖者瘦身，只要把握下列幾個原則定可以收到功效。

㈠加強瘦身動機——肥胖影響心肺功能的運作，走起路來喘吁吁，更爾說上樓梯，大腿部分相互摩擦，衣服必須穿得寬鬆，大尺碼難買又不便宜，穿起來也不美觀，外表讓人信心全失。為了變美，為了健康起見，勢必要減肥，並且貼兩張照片美女與胖子，以便隨時警惕自己，不要自欺欺人。

㈡改變飲食習慣——

⑴計算食物熱量，手邊持有一張食物熱量表，及磅秤一個，以便計算每餐熱量，通常一般上班族一天所耗熱量為體重乘以二十五，跑外務者乘以三十，男性又比女性略高，即六十公斤的女性約需一千五百卡路里，男性則高出一些。舉個例子來計算，飯一碗（一百五十克）即五湯匙滿是二二〇卡、雞下腿一支一七九卡，煎蛋一隻一三六卡，白灼蝦十隻二〇〇卡，花椰菜及蕃茄汁五兩有八十卡，則這一餐合計五一五卡。

⑵注意烹調方式——忌食油炸食物，其油脂高，減肥主要降低脂肪

比例，故烹調宜以烤、蒸、煮為主，就馬鈴薯而言，薯泥只六十卡，炸薯條則有二六八卡，怎能掉以輕心。

(3)注意搭配比例，以三份蛋白質，二份澱粉，一份蔬果的搭配方式最易減肥，蛋白質可多採取植物性豆類，或牛奶、魚類，如果一餐攝取六百卡的話，澱粉質佔兩百卡，蛋白質佔三百卡，蔬果佔一百卡。

(4)注意飲食速度及時間——吃快容易胖，最好能細嚼慢嚥，一方面可品嘗食物的美味，一方面較容易產生飽足感。吃飽就睡，也是致胖的主要原因，宵夜實在吃不得也，美食當前，不動如山，可先喝杯水充數，用心理去克服生理的需要，一段時間過後，反而覺得吃宵夜難過哩！

㈢少吃多運動——十個胖子九個貪吃，以前看到一位胖同事，早餐吃了兩個大型肉粽，真令人瞠目，每餐吃得七分飽，快樂似神仙，少光顧自助餐廳，一餐吃下來抵得上一個禮拜的卡路里，何必自討苦吃？運動方面，只要勤動我們的四肢，做到能跑就不要走，能走就不要站，能站就不要坐，能坐就不要臥，常常以步代車，多爬樓梯、定時慢跑，作體操，都是簡單易行的健康瘦身法門，曾經看過一個女人每天清晨搖呼拉圈，不到一個月，看她瘦了一圈，所以只要持之以恆，就能心想事成。

水療SPA

SPA簡單的說，就是開啓心靈與身體能量的水療法，具有多處噴口的按摩浴缸，各種大小壓力的水柱噴頭、三溫暖的基本配備等，藉由水的冷熱、撫觸、沖擊、按摩來放鬆身體、放鬆心靈，達到通體舒暢的療效。

歐洲是最早有水療概念的，羅馬人尤其重視浴療法，羅馬帝國征服之處，幾乎都留下澡堂的遺跡，顯示出羅馬人重視個人衛生清潔及疾病預防外，澡堂也成了他們休閒娛樂、清談交誼的好去處，在龐貝古城廢墟，見到的澡堂算是保留較完整的遺跡，有大小不同的浴池，加溫的管道，及好多個出水口，可見它是利用不同的水溫將浴池分為高、中溫及冷池，享受三溫暖的樂趣與療效。

目前我們盛行的ＳＰＡ水療館，大都設有游泳池，有些旱鴨子一聽到游泳就退避三舍，其實不一定會游泳才進泳池，我們可利用泳池來作慢跑、旋轉、體操的動作達到運動的效果，尤其是患有退化性關節炎的患者，膝關節受到身體重壓的關係無法運動，但在水中，可藉著水的浮力伸縮自如，鍛鍊骨骼。並可藉著浮板漂浮，有助於解脫壓力，舒緩緊繃的神經與身體。

通常我們進入水療館後，先沖洗身子換泳裝，接著做些緩身運動，再到水柱區，利用水從高處下沖的力量，沖擊上半身的頭、肩、頸、背部、及手臂，進行強力按摩、打發全身的壓力、拍擊肩頸凝結的硬塊、消減酸痛。沖擊水柱必須注意的一點是既是較強力的水柱，就得視個人身體狀況、受壓程度來取捨，沖水時如果感覺疼痛不舒服，那就表示你不適合，宜馬上停止，經醫師及水療專家評估，認為水柱壓力超過三公斤即可能傷害人體，所以要自己覺得舒適才行，而且同一部位不要超過兩分鐘，現行的水柱沖擊大致有時間管控，一次約五分鐘，時間較為適宜。

隨後再進入穴道按摩池，以不同水壓的噴泉按摩脊椎及兩側、腰部、臀部、大腿、小腿、反過身子又可按摩胸部、腹部、噴泉沖擊的感覺是癢癢痲痲的，可按著經絡運行方向作全方位的按摩，於此全身細胞毛孔都鬆弛，我們就要進入健美區——游泳池。

在游泳池游了卅分鐘過後，原先受沖擊的贅肉肥胖部分，於此得到充分的運動與收縮作用，可以達到快速塑身的效用，而且可以促進血液循環，帶動體內的新陳代謝，並且加強心肺功能。

休息一下，補充水份後，再進入蒸氣室，熱氣逼得我們不斷的出汗，將平日在空氣污染的環境中吸收的毒素、廢氣、藉由皮膚的新陳代謝，隨著汗水排出，過後再用冷水沖淨。

ＳＰＡ除了可以當成有益身心的休閒活動外，如果有肌肉酸痛、腰背痛、肩頸酸痛、中過風的腹健，都可循著經絡穴位的按摩達到改善的效果，有工作壓力的人可於此讓身體放鬆釋放焦慮、抒解壓力，愛美的朋友更可在這兒雕塑曲線美，並且容光煥發，實在是下雨天、大熱天最好的運動場所。

臉部皮膚美白

寶島的氣候一年四季只要是晴天，太陽就發揮他的威力，如果不注意防晒的話，很容易晒成黑皮膚，影響一個人的外表，所以出門時抹上防晒乳、戴上遮陽帽、太陽眼鏡、撐開陽傘十足的維護，與白種人追著太陽跑的作風大異其趣，常看他們在自家院子、公園草地上、河畔、沙灘上作日光浴，有一回在丹麥臨波羅的海海灘，觸目所及盡是赤裸裸的美人魚，可謂嘆為觀止，白種人的審美觀是將皮膚晒成紅棕色，才是足以眩耀的健康美，所以東西方因環境的不同，造成思維觀點的差異，確是不可同日而語。

俗語說：「一白遮三醜」，黃種人如果有一張白淨的臉蛋，當令人稱羨，除了天生麗質外，一般皮膚都有賴於我們細心維護。在炎熱的夏天，最好將外出時間選在清晨或傍晚，避免陽光照射顏面，若有事出門，臉部除了塗上具有ＳＰＡ（防晒指數）與ＵＶ（防紫外線）成分的保養品外，最好能撲上一些香粉，以保護臉部肌膚，防止陽光照射，因為我們如能將容易沈滯體內色素的因素除去，及阻斷紫外線等黑色素的活動，皮膚自然能白淨。

欲阻止體內色素的沈滯，而使腎荷爾蒙的分泌活躍，可在腿部的腎經由下而上作區域性的刺激，利用洗澡時，用棉、麻浴巾擦揉十次以上。

穴道按摩點是腎經上的三陰交穴，三陰交有健脾、疏肝、通經的作用，能排泄瘀血，催帶下行、故有利於黑色素的排除，可用大姆指按揉之，配合吐納法來作，吐氣時按之約五秒鐘，計五次即可。

另外使皮膚細嫩白皙的美容法有兩種，供大家參考：

㈠將黃瓜磨成泥狀，將黃瓜汁過濾，加上兩匙麵粉攪拌，塗於臉部，約廿分鐘後洗淨。經過日晒後的皮膚，會有輕微的發炎現象，使用黃瓜較無刺激性，因其含有果膠以及使皮膚細嫩的成分，故比檸檬更適合敷臉。

(二)將兩大匙黑砂糖用熱開水使之溶化，加入一大匙牛奶，半個蛋黃及一匙麵粉充分攪拌，塗抹於臉部，約廿分鐘後，以溫水洗去，皮膚會變得白淨，因為黑砂糖能夠漂白皮膚，但因缺乏脂肪，所以加上牛奶與蛋黃，營養肌膚，當洗淨時，皮膚又白又光滑，試看市面上有出售黑砂糖香皂，可見它的效果是確實的，不妨買來作洗澡美膚用。

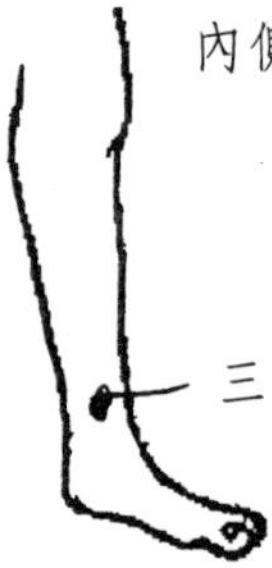

茶飲

好友邀我們至鹿谷作客，林間小路，桃杏爭艷，路轉處，山櫻突如其來跳出一片風景，美不勝收。至朋友家，清幽雅致，遠離塵囂，若一桃花源，又見對面山巒，山氣氤氳，虛無飄渺猶如仙境，原來是盛產烏龍茶的名山凍頂山。真是百聞不如一見，唯有這種雲霧繚繞的高山氣候，產出的茶特別芳香甘醇。

朋友早已擺好茶具，特別拿出一罐道地凍頂烏龍待客，打開茶包，香氣甘美，色澤呈暗綠色，又稱為青茶。狀似半球形，與我們在北部所見文山、坪林地區包種茶，因採摘部分及製造揉捻之差異，呈條形狀有別。

烏龍茶、包種茶、鐵觀音皆屬於部分發酵茶、綠茶、龍井則屬未發酵茶，發酵的程度與其色澤成正比，色澤愈暗的發酵程度愈大，紅茶即屬於全發酵茶。

朋友泡茶屬陸羽茶經所載之功夫茶，取出適量的茶葉置於陶壺中，用滾燙的熱水注入，再以熱水頻頻沖壺加溫，由於茶香須在攝氏一百度較能溢出，只有一度一度的喚醒茶葉，才能擁抱甘醇的茶香。約一分來鐘，茶湯終於泡製完成，倒進杯中，呈明亮金黃色澤，朋友教我們「聞香」，約一分鐘後，掀開杯蓋，聞茶之香氣、再溫聞、冷聞，一直有香味存在。

我們邊聞香氣，邊品茶，用舌頭使茶水在口中打轉三至四次，品嘗它的甘醇後再慢慢入喉。宛若滴滴甘露，清心舒暢，此時此刻呼吸天地自然靈氣，啜飲凝集日月精華的茶葉所製成之茶湯，覺得有如吞雲吐霧般飄飄然也。

朋友還講了茶在婚禮中的意義，古人婚聘，以鴻雁為禮，取其有信之意，南方因取雁不易，故以茶代之，明代許次紓在茶疏中有記載：「茶不移本、植必生子、古人結婚以茶為禮，取其不移、置子之意。」即是以茶下聘，象徵婚約締結，永不移易，娶女進門，傳宗接代，故有「一家女不吃兩家茶」之說。

說著說著，餐桌上已擺滿了山中珍味、山雞肉、香姑、筍絲、溪中魚蝦、山芹菜等，可以大快朵頤了。今天有好茶當道，且放縱自己一下吧！因為茶的成分：黃酮醇類可增加微血管抵抗性，降血壓，雜鏈多醣類，可抑制血糖上升，兒茶素類及其氧化縮合物，可降低膽固醇及低密度脂蛋白，維生素C、E及胡蘿蔔素可抗氧化、防癌、增強免疫能力，其他礦物質成分，氟能預防蛀牙，鋅能防止皮膚炎，硒能防癌、防止心肌障礙，錳能增強免疫力。另外咖啡因可提神利尿、難怪今天開了幾個小時的車，不覺得疲倦，晚上還準備月下清談呢！

由賞荷談起——四神湯

台南縣白河、桃園縣觀音皆為有名的荷花產地，七、八月值荷花花期，一方方荷塘裡，各種顏色、各式類型的荷花挺立於水面，南風吹拂，彷彿仙子凌波而來，還與天光雲影徘徊與共。夏日午後，在爬滿藤蔓的瓜棚下，邊欣賞荷花，嗅著荷香，邊享用冰糖蓮子湯，滋養極品，暑熱天候，心煩氣躁，蓮子含天門冬素及蜜三糖可以清熱、益氣、養心，補脾胃。品嚐了人間美味，補養了精神，再繼續下個農莊的探訪，據說荷花的品種有兩百多種，另外也希望能吃到媽媽的滋味——四神湯。

所謂四神湯，是由蓮子、淮山、芡實、茯苓四味藥材煮成。小時候母親煮四神湯總是加上豬小腸一起燉煮，說是吃了能厚實腸胃，因為小腸是主管消化系統有關營養物質的吸收，裡面含有大量的消化酶，所以有助於我們的消化吸收。而這四味藥材都有補益脾陰，厚實腸胃，對消化系統的疾病，如消化不良，容易瀉肚子，都有很好的功效。

淮山又名山藥，山藥有野生和家種、山地生和平地生等，藥用多以山地生，以野生者為佳，市面上管狀的山藥屬於家種，有一回到貢寮，朋友煮了一道山藥排骨，較一般山藥的口感更Q更可口，原來屬於野生山藥，品種較纖細，因富黏液質，可切片生食健脾胃，對消化系統疾病有治療的功效，具有多種氨基酸，且抗氧化，有天然人參之美稱。

芡實，為睡蓮科的一種水生植物的果實，和蓮子有些相似，都屬滋養強壯性食物，並與淮山皆有固腎益精，治婦女帶下的作用，而芡實的收斂鎮靜藥效，又比蓮子強。

茯苓，能健脾、胃、所含茯苓多糖能增強人體免疫功能，具有抗癌作用，市場中常有人兜售茯苓糕，聞起來有特別的香氣，且甜而不膩，確是很健康的茶點。

四神湯四味藥材均含有澱粉、性味甘平，可作為長期藥膳，而無副作用，食之可促進體內水分的代謝，對於脾胃、腎臟的功能，助益很大。

二紅二黑一紫一白

「管管七十歲，新娘三十四」，這是演員作家管管結婚時傳播媒體刊登的標題，他是健康食品——二紅（枸杞、紅棗）、二黑（黑豆、黑芝蔴）、一紫（茄子）、一白（白果）以及大蒜的奉行者，這些食物到底管不管用，且看他結婚週年後即一舉得男，現在小孩四歲，前陣子遇到，那稚兒活潑可愛，旁邊的「老父」可比先前益形年輕、活力呢！

紅棗可分三種，有新鮮的、乾品、以及黑棗（用棉子油、松煙水煮熟，再用煙火燻烤而成），前年與詩界友人同訪長安，我們幾位女生前往市集買了許多物美價廉的陝北淮棗，號稱「一日食三棗，百歲不顯老。」回程的車上，向明、白靈一吃再吃，讚不絕口，忍不住在機場販賣部以三倍的價錢買了幾包。紅棗含有豐富的鈣、磷、鐵、鉀多種元素和礦物質，尤其維他命C居水果之冠，甚稱「天然維他命，其性味甘平，清代醫家陳修園神農本草經讀謂，「大棗氣平入肺，味甘入脾，肺主一身之氣，脾主一身之血，氣血調和。」故可和脾胃、滋肝潤肺，補五臟，治虛損，增強體能，有鎮撫緊張之作用，因含磷酸腺甘及山楂酸等成分，有預防癌症的功效。

枸杞，鮮果玲瓏剔透，紅艷欲滴，狀似紅寶石，干果紅潤，皮薄肉厚，子少味美，有豐富的類胡蘿蔔素、維生素A是保眼聖品，寧夏的苟杞馳名中外，譽稱「紅寶」，本草綱目記載：「枸杞，補腎生精，養肝明目，堅筋骨、去疲勞，顏色變白，明目安神，令人長壽。」，又神農本草經讀曰：枸杞氣寒，稟水氣而入腎，味苦無毒性，得火味而入心，有心腎交補之功。

黑豆，唐代陳藏器的本草捨遺記載，黑豆能「明目鎮心，溫補。久服，好顏色，變白不老。」最新的醫學研究也證實，黑豆的確具有降血脂、抗氧化、養顏美容的效果。黑豆含有百分之十五油脂中，以不飽和脂肪酸為主，可促進膽固醇的代謝、降低血脂。黑豆含有許多的抗氧化成分，最特別的是黃酮素、花青素，能延緩人體老化。一般來說種皮只要是深紫紅色或黑色，就含有花青素，例如葡萄皮、櫻桃、桑椹皆屬之。

黑豆還含有豐富的維生素E，能清除體內的自由基，減少皮膚皺紋，達到養顏美容，保持青春的目的。

有一陣子，吞生黑豆，造成一股流行風潮，事實證明，不甚理想，因生吞黑豆很難被消化、吸收，腸胃不好的人，更易造成胃部漲氣，腸阻塞之症狀。

芝麻又名胡麻，有一種特別的香氣，芝麻糖、芝麻糊都是令人垂涎的食品，其提煉出的胡麻油，更是產婦煮麻油雞的聖品，本草備要記載：芝麻補肺氣、益肝腎、潤五臟、堅筋骨、明耳目，烏髭髮，利大小腸、逐風濕氣。其特有的成分芝麻酚，是一種天然之抗氧化劑。豐富的維生素E更有防止老化的作用。

根據分析，每一百克芝麻中，含有六百二十毫克的鈣，故患骨骼疏鬆症的朋友，可多食用芝麻製品，此外，芝麻中所含豐富的卵磷脂，可以防止頭髮過早變白和脫落。

茄子可防衰老，老年人因血管逐漸老化與硬化，皮膚上會出現老人斑，多吃些茄子，老年斑會明顯減少。

茄子味甘，性涼，含有豐富的維生素A、B、C、D，蛋白質和鈣，能使人體血管變得柔軟，還能舒散瘀血，故可降低血管栓塞的機率。

白果，又名銀杏，是白果樹的種仁，白果核仁營養豐富，含有蛋白質、脂肪、糖，還有少量的鈣磷鐵等成分。且含有銀杏醇、銀杏酸、有化痰、止咳、補肺、利尿等功效，近年經藥物研究發現、白果還有抗菌作用，可以抑制結核桿菌、副傷寒桿菌、和白喉桿菌的生長，因而白果成為治療肺病的特效藥。

中國是具有飲食文化的民族，我們吃烏魚仔、香腸時，旁邊一定有大蒜搭配，如此一來它所含的大蒜素，具有殺菌，增強免疫力，有益心血管健康，並能降低壞的膽固醇，降血脂，甚至抗癌防老，根據醫學報告，多食大蒜者血管內壁的沈積，比起不吃者減輕很多，而血管壁沈積是心血管健康的一大危機，久而久之，會讓動脈阻塞，彈性變差，易引發中風，或心肌梗塞。

喜歡辣味的人，往往因大蒜的氣味重，而偏愛辣椒，辣椒對人體的好處恰巧與大蒜成對比，它除了對眼睛有益，其他都不利，而大蒜除了影響視力外，其他都好。去年的山西之旅，因管管的示範，大夥兒紛紛跟進，連平日不愛大蒜的商禽、張默也都成了「食蒜一族」。

楚戈抗癌

名畫家詩人楚戈先生，今年七十一歲，十二年前患鼻咽癌，經過多次鈷六十照射後，殺滅了癌細胞，從此他非常用心保養自己，作息正常、多吃蔬果，作適度的運動。

楚戈在這十一年間，還經常到國外舉行畫展，精力不減，問他怎麼辦到的？他說：「我每天不斷的鍛鍊精神毅力，每日早起先到附近的小山走走，作深呼吸，直到發汗，促進新陳代謝，所有不好的毒素都由毛細孔排出……」

平日飲食，只吃魚不吃肉，楚戈認為魚較易消化，肉類會增加腸胃的負擔，且動物性脂肪太多，易導致動脈硬化，繼而發生高血壓或心臟病。

主食則喜歡吃五穀雜糧，愈粗糙的食物，纖維質含量愈多。

多食用黃綠色蔬菜水果，富高纖維素，並有清腸作用讓排泄順暢，宿便在體內易滋生細菌，楚戈完全遵照醫生的規定，不熬夜、不喝酒、早睡早起，午飯後休息片刻，生活作息正常，最近更迷上了游泳，每天由小陶陪同，游一個鐘頭，充分得到運動的效果，這也是他老當益壯的原因。三月份還到瑞士開畫展，創意不斷，令人佩服。

楚戈最擅長畫梅，他一生的經歷，如梅樹般，岐出的枝枒有歧枝，歧枝之外又有歧枝，他探索的腳步，且行且走，一度走到路的盡頭，在失血的邊緣，蛻變為火鳥騰升，奪回那朵紅梅。

癌細胞變佛細胞

你因病痛難過苦惱嗎，那就與病菌化敵為友，共生共存，安之若素吧！

你因工作困頓事業遇挫而灰心沮喪嗎？想一想捨我其誰？擴大胸襟，勝敗乃兵家常事，當作是老天磨鍊我的心志。

你因理想、願望無法達成而怨天尤人，悲慟異常嗎？想想還有明天，新的一天總會有轉機，如此又有一份期待，未嘗不是件好事，可化悲為喜。

想成為一個快樂的人，凡事要持著正面的思考，為自己點燃希望的火光，而且結交樂觀的朋友，激發彼此的朝氣，我見到的李豐醫師就是一個自在快樂的典型。

李豐醫師是一位罹患腫瘤的腫瘤科醫師，從廿八歲患淋巴癌至今已卅三載，前十六年完全採取敵我不兩立的態度，對癌細胞趕盡殺絕，無法使用電療時又試著用化療，結果讓她幾乎失血喪命……，看到西醫的極限，李豐於是潛心研究中醫，作身心整體的調養，終於與癌細胞能和平共存。

李醫師的逆向思考，來自她對病理醫學的認知，確定我們人體內的細胞，會因種種因素：如氧氣不足、憤怒、貪嗔的情緒與念頭，轉變成癌細胞，因為根據科學實驗，當一個人生氣時，體內會產生和毒蛇毒液非常接近，甚至相同的毒素來。

西醫治療癌症的方式，不是切除就是將細胞殺死，如此隔個一段時間，惡細胞還是繼續長出，又得再度殺滅，這樣惡性循環之際，良性細胞也隨之消滅殆盡，不知道有多少餘力對抗癌症。

李醫師決定棄西醫而就中醫，因中醫能針對個人體質的虛實，予以補瀉調養，改善體質，調整免疫系統，另外她練習爬山，接近的自然，藉著山林的氣息，甦活體內的細胞，並且學氣功，練瑜珈，放下急切，好勝的心，讓自己活在單純自然，內心充滿喜悅感恩的心情，與自己的細胞溝通，讓一切逆勢倒轉。

「一切唯心造」，老是將自己停留於幽暗的角落，憂傷或怨尤易怒，體內的細胞會轉變成癌細胞，同樣的道理，如果內心充滿「喜樂」，癌細胞也可以良性化，如浪子回頭般，李醫師讓我觸摸她脖子上的腫瘤，粒粒還在，「已經十六年了，我用自己的方式存活。」真的路是自己走出來的。

催眠術

當我們聽到有人被催眠，第一個反應往往是他的意志力太薄弱，太容易被說服、沒主見……，才會被催眠，但是以催眠學的理論來講，那就屬於精神感受力較好的人，原因是他能與催眠師配合，摒除自我意識，排開一切雜念，完全放鬆自己，以及真心誠意想接受催眠的意願，這些因素方能達成催眠的作用，也才能享受一段愉悅的時間，更從而得到一種精神上的助益。

所謂「催眠術」，心理學者或稱之為「暗示心理學」，暗示是催眠術的基礎，舉例來說，戰國策秦策記載「曾參殺人」的故事，我們都知道曾參是個既賢且孝的人，原來是與他同族里又同名的鄰人殺了人，於是有人告知曾母，曾母曰：「吾子不殺人，照樣織布。」，隔了一會兒，又有人來告，曾母神色自若，但是當第三回有人說時，曾母懼怕，擲掉織布的東西，踰牆而跑。由這個故事，我們會發現原本堅定不移的信念，經謠言再三的暗示作用，終被打得潰敗無遺，所以暗示，是指精神中一個新觀念的闖入，其觀念最先多少受到反對，其後便為無是無非的容納，成為其人精神的一部分，差不多是自動的實現。

至於催眠者與受驗之間，他們的精神聯合須極為密切，似母親懷抱中的嬰兒，與母親精神合為一體，若母親欲離去，沈睡中之嬰兒極易驚醒。一個偶然的機緣，我跟隨國內著名精神催眠學者徐鼎銘教授學習催眠術，為自己開拓一番新的精神領域，過後我試著將催眠術做做實驗，於是在所任教的班級找了一位精神感受力強的學生，利用午餐後的時間，因其時胃部的消化工作要運用較多的血液，腦部血液降至胃部，較易困倦，有利催眠。她平日對我極為信賴，我與她作了一番溝通，希望她能照著我的話去做，心無旁騖，讓她的精神會更好……，於是我用右手食指由左而右，由上而下徐徐畫圓轉動，讓她專一凝視，約四分鐘光景，再低聲說：「妳的眼睛疲倦了，眼臉沈重了，慢慢地、慢慢地閉起來……。」漸漸地，她閉上了眼睛，再輕輕地說：「妳已睡著了，睡著了，完全進入我的精神催眠術了……，請舉起妳的左手，放下來，再舉左手，放下來，妳走進一個樹林裡，林木茂盛，妳呼吸著清新的空氣……。」數分鐘後，以醒覺法喚醒她，「妳慢慢睜開眼睛，妳會覺得身心舒暢……」，果然當她醒來時，覺得很快樂、舒暢，問她剛剛我要她做什麼動作，已渾然不知，至此，確定實驗成功。

既然可以為別人催眠，姑且做做自我催眠吧，平躺床上，雙拳緊握，兩足伸直約四五分鐘，拳足徐徐放鬆，使筋肉舒適，再握緊伸長，並行深呼吸，繼而改行靜呼吸，在心中注念：「腦血逐漸下降至足跟」，隨著意念運行，反覆多次，手足漸覺不動，呼吸漸覺緩弱，於是心中無念無想專心集注鼻息及血注足跟，不久即陷於催眠狀態中了。

桂花園的冥想

自娛娛人說笑話

我的朋友若曦姐，為人坦誠爽快，有著活潑自在的心靈，他廣結善緣，創意不斷，每次見面時，總愛講笑話分享，那陣子正逢「老少配」的熱門話題，她見到我就說：「談真呀！講個笑話給你聽，老夫少妻猜一句成語，『屢』字開頭的，猜猜看！」「屢試不爽！」「嗯！猜對了！還有一個，『老妻少夫』也猜句成語。」「……」「猜不出來？我說好了——古道熱腸！」說完我們都笑成一團。不想，愛說笑話的她，有一天竟鬧了笑話。

若曦姊結婚，她不想驚動大家，只請了兄弟姊妹，以及幾個姊妹淘在復興南路二段自宅，作個公證而已，當天早上，新郎倌陳老師在浴室，卻聽得若曦姊喚道：「老段！老段！你好了沒，有人要進去拿東西！」只聞陳老師忙不迭地應道：「我對幾段路幾段路最過敏，我不是老段，我是小段，復興南路二段而已。」一番話直讓陳姐伸了伸舌頭，暗叫不妙，原來陳姐前夫姓段，如今脫口溜出「老段」二字，讓先生幽他一默，想這應是她跟前夫「和平分手」的後遺症吧！

前中央副刊主編孫如陵先生，擅於說笑話，他認為說笑話能使自己高興，別人也高興，何樂而不為？有一次文藝界餐敘，他對著一桌朋友連續講了六七個笑話，讓我們幾乎噴飯，差點笑煞了氣。

孫老以往曾在中廣趙琴女士主持的節目中，作笑話演講，由一個笑話牽引另一個笑話，足足講了兩個鐘頭，聽過的人都津津樂道。

有一次孫老講了兩個他家中的笑話，孫老的兒子春在先生兩歲時，一日，適逢羅家倫先生來訪，羅先生摸摸他的頭，問道：「你今年幾歲？」春在說：「我兩歲，老了不中用了！」「你都不中用，那我更不堪用喲！」羅先生說道，當場引得哄堂大笑。

另一則笑話是，有一天孫老返家時，見太太瞧著電視節目，顯得很開心，原來是有位女士徵婚，應徵的兩位男士各方面條件都差不多，只差一個帥，一個醜，太太心中忖度那位女士會選上醜的先生，果然被猜中了，問她為什麼？太太答道：「因為那女的長得不怎麼樣，選好看的先生，沒有安全感。」這時唸小三的兒子，繞過桌子來加重語氣說：「『所以』媽要選爸！」結果被我太太瞪了好久。

這雖然是三四十年前的往事，由孫老「貴州名嘴」說來，不僅覺得歷歷在目，更喚起甜蜜的回憶無數，多一分有趣的創意，就多一分喜樂，不是嗎？

「珠寶嵌在天地的視窗」

世間事，真假虛實有時真的難以捉摸，富有的人不一定戴珠寶，戴珠寶的人不一定有錢，完全視一個人對名利物欲的多寡而定，很多人站在展示櫥窗前，往往被散發的珠光寶氣所迷惑，情不自禁接二連三刷卡買下，倒頭來那些珠寶首飾，都束之高閣，囚禁在保險箱中，重見天日的機會，寥寥可數，想想，它在櫥窗裡供眾人欣賞多神氣。或是戴在有情人的身上，長相陪伴，又是何等幸福。

有的人收藏了幾十支名錶，結果每天他都得花上好多時間一支支上發條，縱欲的結果就是為物所役，欲望如谿壑般，永遠無法填滿，東西要常用才有意義，否則如棄物，徒佔空間而已。

有位長輩收藏了一些古董花瓶，某次颱風來臨時，為了將花瓶搬到客廳，一不小心摔了跤，手腕血管被花瓶碎片割傷，血流不止，緊急送醫後，才化險為夷，此後，他再也不買古董了，他說：「用性命來維護世俗之物，不知所作為何？」他確是不為物所役，不為身外之物所動了。

曾經聽一位珠寶鑑定家說道：「以現代科技之發達，精密，各類珠寶的仿造幾可亂真，無論就其色澤、紋理、清澄度來講，凡是可用儀器鑑定的東西，同樣的可以被仿造得唯肖唯妙，至於如何辨識真偽呢？說真的，只能靠經驗、感覺。」因此喜歡買珠寶的人可得多加斟酌呀！

有次到太平山旅行，由於前一天夜晚下過雨，清晨出遊時，空氣格外清新，忽然看到一株閃閃發亮的松樹，定神細視，原來是松針拈上一顆顆水珠，晨曦初透，映射出絢爛的光彩，看起來就像一株鑲鑽的松樹，這時，我才領略自然的偉大奧妙，那種震憾人心的美，豈是世俗的寶石差可比擬，所以，真正的珠寶是嵌在天地的視窗。

打開心中的鳥籠

有一首歌——打開心內的門窗，是一種視覺的開拓，讓風景走進心中，也讓自己走進風景，在碧海藍天的愛琴海上隨著船隻起航，海鷗成群跟進，平日看到的雀鳥總是避著人們，躲進濃密枝葉中，而海上飛行的海鷗，追逐著船隻，夢在風中招手，風向船隻招手，我們的夢築在鷗鳥羽翼，乘長風而去。

人的心中，難免有一些傳統的束縛，與人為的桎梏，在自由受限時，如同鳥籠限制了鳥的自由，自由與受限兩股力量產生衝突，鬥爭的結果，自由的意願獲得勝利，籠子即可打開，故「打開心中的鳥籠」比之「打開心內的門窗」，境界不同，更富戲劇性。

最近聽到歌唱藝術家朱萬花小姐動人的歌聲，毋庸置疑的，她是像正常人一般的經過訓練、琢磨、一步步經過考驗而登上舞台，國際舞台的歌唱家，只不過她是位視覺障礙者，且識字不多，在學譜、學唱的過程，較常人更是艱辛備嘗。自不待言，最難能可貴的是，她打破了世俗傳統對視障者就業範圍的界限……。

由於先天體質的不良，朱小姐有著纖細的身軀，力量當然不夠大，所以從事按摩工作時，常因手勁不足遭客户嫌棄，她一直為自己打氣，有回客户跟她說：「妳手勁雖然不夠大，但技巧熟稔，很有潛力。」自認為受到嘉獎，滿心歡喜，未想大姊潑她冷水說：「妳不要將別人的同情，當作自己的成就來看！」頓時她覺得沮喪萬分，不禁要問蒼天：「難道盲胞就沒有其他出路嗎？」心想平日喜歡唱歌，倒不如去學唱歌，於是透過二姊與父母溝通，終於獲得首肯，進入伊甸園的唱詩班、寫作班、努力充實自己……，後來參加全國歌唱比賽奪魁，讓她的歌唱舞台繼續延伸，她目前擔任視障藝術推廣中心主任，為視障人士謀求出路，她的宗旨是讓視障人士獲得社會的平等對待，而不是同情與憐憫，成立了視障藝術日，於每年十二月在新舞台售票演出，頗得大家的關注與讚賞，這是他們的驕傲，也是朱女士勇敢打開心中的鳥籠，脫離原來的窠臼，終於獲得展翅飛翔的自由喜悅。

人生是一連串不斷的奮鬥

自從樂透彩發行以來，簽賭之風襲捲全台，每每見到投注站上大排長龍、買氣之旺令人咋舌，本來嘛，發財美夢人人愛作，只是有的人當作遊戲娛樂，替自己買一份期待，有的人則傾家當與之一搏，得之我幸，不得呢？要我的命。成為致命吸引力。

所羅門王寶藏一書敘述尋寶的路，等於一條不歸路，只要貪婪的慾望不滅，終究如飛蛾撲火般殉命。根據數學家統計，每張彩卷的中獎機率只有五百萬分之一，如此推算，你只要購買兩億多元不同排列組合的彩卷，就有中頭獎的機會，試想，誰會願意當冤大頭呢？

但奇怪的是，千分之一或百分之一的失業率，大家都不認為歹運會降到自己頭上，倒以為百萬分之一的中獎機率會落在自己身上，實在是財迷心竅。

「人生是一連串不斷的奮鬥」，自從大學時代楊昌年老師跟我們講了這句話，我就一直拿它當作人生的座右銘，深覺一個人須要不斷作自我的肯定，才有真正的快樂，找一份工作，從事興趣的鑽研，發揮自己所長，不是有錢就能買到一切。

認識一個朋友，幸運的遇上企業界名流的小開，結婚後，辭去原先的工作，住大廈、開進口車，先生就在自己的家族企業上班，夫家還定期匯款供給他們，過著人人稱羨的富貴生活，三年後她很後悔當初把工作辭掉，生活變得沒寄託，現在夫家也不贊成媳婦外出工作。六年後，她越來越不能忍受每天過同樣浮華不實的生活，覺悟到開名車並不代表幸福、快樂，穿昂貴的華服與幾百塊的衣服又有何區別，人生的意義到底是為什麼，她真想逃得遠遠的……。

另外一個朋友，與先生結婚後胼手胝足，共創家園，六年後事業蒸蒸日上，房屋貸款即將還清，一步一腳印他們正享受著努力經營的成果。

由這兩個實例可知幸福快樂與財富的多寡無關，所以在購買彩卷時，一定要秉持平常心，像飯後的賓果遊戲一般，買個兩張消遣消遣則罷，如果失卻理性，執迷不悟，罹患了所謂「變態性賭博症」，賭徒的下場可見一般了。

「北角日不落」

我們所看到的現象界，往往受到地理環境，傳統思維所制約，以致於有所偏頗，最常見的是「日升日落，月圓月缺」，大家都聽過「夸父追日」的故事，夸父認為從太陽升起之處定可找到它，所以翻山越嶺，鍥而不捨，終致累渴而死，他探究事物的精神實在可佩，只是不知道現象界的多面性，執著自己觀察的一面。

中國人一向認為農業文明比遊牧文明先進，其實遊紋民族開放式的流動性，比農業社會的「安土重迂，有其進步性，他們根植於廣闊無際的大草原中，視野極其開闊，加之其逐水草而居的遊牧方式，因而多以流動、變化的角度來觀察自然界，就像「敕勒歌」所寫：「敕勒川，陰山下；天似穹廬，籠蓋四野；天蒼蒼、野茫茫，風吹草低見牛羊。」，它質樸地描述他們對大自然的認識，充滿豪邁開闊的景象，令人也想跟著馳騁於原野？而且他們長期跟大自然搏鬥，較具有冒險精神，和勇敢進取的民族性格，這些都是農業民族所不及之處。國人又何以分貴賤呢？

世俗所謂的貴賤常因時勢不同而有所改變，連城之璧價值有時只等於一張羊皮，唯有泯除萬物的差別、界限，才能使心靈得到解脫。

前幾年我經濟力強，買氣旺盛，大家紛紛投資置產，貸款買別墅、買套房，認定台灣房價只增不減，股票投資方面，只要抱定長期投資者，一定只盈無虧，所以貸款、融資者比比皆是，曾幾何時，經濟開始不景氣，飆漲的房價猛跌，一路翻紅的股價，節節下降，一瞬間，財產全部縮水，金幣變成鎳帶，億萬變千萬，千萬變百萬，貸款、標會的人繼續作錢的奴隸……。

人生不如意事十之八九，商場如戰場，有輸有贏，不要妄想有永遠的好光景，所以凡事要多方位思維，量力而為，就不致於血本無歸，損失慘重。

有一個暑假與先生同往北歐旅行，在挪威北角，北緯七十一度，看到日不落，午夜十二點，眼看夕日下沈至地平線，又再度升起，如此夕日轉變為旭日，我則站在地平線與太陽平行，這幅大自然奇景，不啻是「日升日落」的最佳反證。

桂花園的冥想

桂花園是我滋養自己身心的祕密花園，當桂花盛開的時到，遊客經過，聞到樸鼻的香雅氣息，總忍不住多吸幾口，「好香喲！」發出由衷的讚賞，幸運的是，我不只是過客，更能沈潛在其間。

桂花園自然形成的藩籬，阻絕了紛擾的塵囂，醞釀出一園清幽。更有雀鳥閒步其間，或高踞枝頭歌唱，蜜蜂勤加採蜜，園子裡頗不單調，公園裡有如此勝境，殊屬難得。

「人生不如意事十之八九」，遇到問題時，情緒難免高低起伏，不能自己，桂花園則是我修養心性的好地方——

工作勞累，精力透支時我會來

焦慮煩惱，有事未決時我會來

激奮難平，憂傷沮喪時我會來……

當壓力大，精神負荷重，易造成神經細胞緊張，筋骨會緊繃、僵硬，值此，得先做一些輕鬆筋骨的運動，如拍打肩、頸，甩手、踢腿等，將惱人的，不愉快的事情，丟在一旁，接著定下心來靜坐。

冥想桂花的香氣，攝進我的頭部、胸腔、腹部，以致充盈全身，配合著吐納法，約二、三十分鐘光景，待睜開眼時，你會發現自己精神奮發與先前迥然不同，眼睛潤澤有神，頭腦清新明晰，能正確思考該走的方向，且滋生無比的勇氣與力量，能面對難關的挑戰……。

桂花園中最美的景緻，那就非「桂花雨」莫屬了，靜坐於桂花樹旁的青草地上，讓桂花飄落在髮際、眉梢、肩上、身上，慢慢的，你坐在桂花織成的蒲團中，體會到大自然生命圓融的美感，桂花飄落沒有凋零淒涼的感覺，而是生命的周而復始，「落紅不是無情物，化作春泥更護花。」一切即滅即生，如果我們能以超越宏觀的態度，來看生死，也就不會那麼難過了。

石頭

在溪流河畔的鵝卵石，光潔可愛，檢拾作「打水漂兒」的遊戲，見那石子在水中彈跳，煞是有趣。

郊外，路邊大大小小的石頭、粗糙、笨拙的模樣，很原始、撲拙，就像老農，稚子般天真，知命、任由日曬、風吹、雨淋，日復一日，隨遇而安，儘管輾過漫漫歲月的足跡，負載悠悠記憶的沈重，它只是饒知天機而不語。

一次與文友到花蓮旅行，途經海邊，大夥兒下車走到海灘覓石，那片奇石薈萃之地，只要細心一點，即可在眾石錯雜間，尋到一、二奇石，有人說，石頭以有目者為佳，果然，一目石、多目石接二連三被拾獲，尋寶的過程既緊張又興奮，忽有人在旁説道：「石頭之珍貴，在於它可擊碎，卻不能被折損……。」，抬眼一看，原來謝鵬雄先生一臉正氣地慷慨陳詞，他的臉映著陽光發亮，正好嵌在海天之間，成就一幅難忘的畫像。

石頭的堅貞，古今多少美麗的傳説與故事，如「孔雀東南飛」一文，焦仲卿對其離異妻子劉蘭芝，表白心跡，若磐石的堅定不移……，而「望夫石」之「望夫處，江悠悠，化為石，不回頭……。」皆以石頭作為堅貞不移的象徵，在在令人迷惘。

大大小小樸實雅緻的石頭，像人類一樣，各有各的造化，紋彩斑斕、俊逸者，置於展覽勝地，供大家賞玩，如居廟堂之高官厚祿者，錦衣玉食，卻無法逍遙自在；樸拙之石，可如一般百姓，雖平凡無奇，倒是能與日、月、星辰相伴，生活得健康、自然。

油桐花飛舞

台北近郊新店、山峽地區是油桐樹廣植之地，每年在四五月間油桐樹綻放出一撮撮細小的白花，遠看似一隻隻白鷺鷥棲息在樹上，呈現恬靜、祥和的景象，待清風吹越，油桐花隨風飄舞，旋成一個芭蕾舞者轉呀轉，然後悄悄靜止於大地，如此以其色澤、姿態，贏得了「五月雪」的美稱。

沿著山路前進，愈來愈靠近樹之所在，聽到水流潺潺放眼望去，油桐花飄落在溪澗上，猶如一支支的小花傘，帶著溪水流到濃蔭深處。

終於來到油桐樹夾蔭的石徑上，站在花兒砌成的香階，不禁令人思想起李後主「衩襪步香階……」的詩句，忙不迭地將鞋子褫掉，不是學古人行徑，實在是捨不得踐踏呀！且俯身捧起滿懷的溫柔。

油桐花隨風輕輕地飄落，落在枯枝上，枯枝開了花，落在蛛網上，蛛網開了花，油桐花妝點了枯索的世界，一切腐朽都顯得生意盎然。

站在花樹下良久，凝視著花之落，有如天使降臨般，稍一點化，世界就充滿生機與樂趣，我們不是天使，但只要具有愛心與同情，一樣的可以使枯木逢春，想著想著自己也飄然如花，未想，唇一樣的花瓣，吻在花一樣的唇上。

GONE TOO SOON

「美好的事物，如不去關心，它很快就消失，
像慧星劃過天際，像彩虹瞬間不見，
如午後的雲層、隱蔽燦爛的陽光，
如沙灘上堆砌的城堡，海浪一來就傾倒，
如美麗的花朵，很快就凋謝……」

這是名歌手麥可傑克遜關懷系列的一首歌詞，娓娓唱來，讓我們看到他發光的一面，同時也照進我們的內心。通常一個藝人要享有盛名，須有他獨特的作風和條件，麥可給大家的印象大致是一副好嗓子，精湛的舞步，以及荒誕不經的動作，似乎他表現愈怪謬，觀眾就愈瘋狂，但是他對公益活

動的熱心參與，由他自編自唱的一些歌曲，可見一斑，一個人在成名之後，能藉著自己的專業領域，從事撫慰人心的事情，實在值得讚許與敬佩。

一切美好的事物總是很短暫，與親人、友好相聚的時間，更是稍縱即逝，唯有把握珍惜，不要做出讓自己遺憾悔恨的事。

由於擔任教育工作，常常須要輔導一些特殊的案例，行為乖張、無理取鬧者，還有中輟生回流，仍然不改其濫交朋友，逃家遊蕩的放浪行徑者，看看他們的家庭背景，大部分是單親、且家長忙碌，或不知如何管教孩子，放任孩子出軌。

一位太妹型的中輟生回校繼續上課，初時探問她不合規定的穿著、或遲到、曠課情事不是不理不睬，就是「要你管！」，讓我在輔導的過程橫生困頓，後來經我以友好態度多方勸服，她終於說出內心話，原來父母離異後，她與奶奶同住，父親難得回家一次，見奶奶時而為家計發愁，她選擇了容易賺錢的行業——檳榔西施，利用夜間兼差，一方面貼補家用，一方面為自己買衣物。她覺得很滿意目前的狀況，「老師我實在太累了，早上起不來。」「難道妳要放棄學業嗎？」她沈默一下接著點點頭，「傻孩子」我拍拍她的肩膀說：「靠色相賺錢那是長久之計，奶奶還有姑姑可幫忙，家中經濟由大人操心就行，妳一定要完成國中學業，再唸個職業學校，學得一技之長，以後靠自己的力量在社會立足……」班上的檳榔西施終於畢業了，典禮過後給我熱情的擁抱，誠心祝福她，人生的路愈走愈亮麗。

另外一個轉學生，沒有一刻鐘不講話不亂動，更不用說專心看書，這麼個頭痛學生，班上的秩序成績著實大受影響，後來祭出各種獎懲辦法，軟硬兼施，症狀稍有改善後，他又覺得無趣了，竟然學人翹家、翹課，有一次翹了幾天家，父母找了半天才找著，原來夜晚睡在賣菜的板車裡，幾天受苦，覺得還是回家好，這個混沌矇矓的孩子，真的是在學校與家庭通力合作下，被挽回的個案，流浪過後，突然身心都成長了許多，他終於能定下心來看點書，而且訂下一個目標，要投考中正預校，實屬難能可貴。

孩子的學習階段往往會遭遇許多變數、難關，為人父母、師長如能多費點心、盡點力，陪著他們走過一段路，以後自然雲開霧散，彼此心安，否則變成心中永遠的痛，後悔都來不及。

靜坐之境界

我們練吐納，修習內功，無非是想藉助外氣的吸收，補養內氣的不足，並且基於人體內部生理變化的法則，有賴一些獨特的功法以維持內部的生命力，和生存的能量，很自然的，大家會想問「氣」是什麼？一般道家練氣者認為氣是我們生命的本源，氣住則神住，神住則形住，形住則能長生。而根據物理學家分析，認定氣是一種特別的頻率，有百分之八十三的頻率加上紅外線，就是氣。因為地球有一種頻率，練氣者如能習己之氣與地球之頻率互相和諧，就能健康長壽。

我們習練氣功，除了在靜室養成固定的時間修持外，最好能常到花園、山林之間，採擷大自然清新的空氣與能量，冥想攝取天地之精華，讓自己更青春更茁壯。

因為吐納法是吐舊氣、納新氣。在名山勝境更能吸收天地靈氣，多少隱士於其間修持仙化，前年與詩友們遊華山，在玉泉寺見宋代隱士陳摶塑像，相傳此地為其舊居，因其瀟灑自在，專注養生之道，仰望之餘，訴說自己心願，不意竟得一支上上籤，可謂福至心靈之象。

朋友總是問我，「妳如何能靜坐一個小時以上？」其實，從我廿九歲接近靜坐之道，純粹為了祛病養身，同時因工作、家務都忙，靜坐只要達到健身的目的則已，不可能花長時間去坐，也就無從領略其無窮的樂趣。

隨著年齡增加，兒女長成，不用太操心，工作之餘，有較多時間靜坐養生，久而久之，變成一種習慣，從而以之為樂，即如孔子所說：「知之者，不如好之者，好之者，不如樂之者。」沈潛其間，怡然自得。

靜坐練功，如同創作一般，每次都是新的開始，從冥暗之中，漸趨明亮，精神狀態由昏昧狀態轉而清明，繼而完全放鬆自己，忘記「氣」的存在，忘記了「自我」，進入「太虛」之境，與宇宙自然結合為一。宇宙是一個巨大的結構，無數的星系、銀河系、太陽系、地球……自我的身心，是大大小小不同層次的結構，相互牽繫，旋轉、感應著，當我們放鬆，虛無之極，慢慢就體會到與各層次的結構相融合，同時能了悟自身體內的呼吸系統、泌尿系統、生殖系統、思維系統等結構，不就是宇宙各系統的縮影嗎？

達到「天人合一」之境界，我們更能啓發智慧、慈悲、化解人生諸事，感應未來，做一個更有感覺的人。

國家圖書館出版品預行編目資料

使你活得更健康 / 談真著. -- 初版. -- 臺北市：
文史哲,民 91
面： 公分--(保健視窗;1)
ISBN 957-549-432-6 (平裝)

1.健康法

411.1 91006557

保 健 視 窗 ①

使你活得更健康

著 者：談 眞
出版者：文 史 哲 出 版 社
http://www.lapen.com.tw
登記證字號：行政院新聞局版臺業字五三三七號
發行人：彭 正 雄
發行所：文 史 哲 出 版 社
印刷者：文 史 哲 出 版 社
臺北市羅斯福路一段七十二巷四號
郵政劃撥帳號：一六一八〇一七五
電話 886-2-23511028・傳真 886-2-23965656

實價新臺幣二四〇元

中華民國九十一年(2002)五月初版
中華民國九十一年八月初版三刷

ISBN 957-549-432-6